Allen Carr est dev[illegible] en 1958. S'il s'épanouissait dans sa vie professionnelle, la consommation quotidienne d'une centaine de cigarettes le déprimait. En 1983, après l'échec d'innombrables tentatives pour arrêter de fumer par le seul pouvoir de la volonté, il découvrit ce que l'humanité attendait en écrivant *La méthode simple pour en finir avec la cigarette*, best-seller traduit en plus de trente langues et vendu à plus de treize millions d'exemplaires dans le monde. Dès lors, ne fumant plus, il s'est consacré aux autres fumeurs.

Sa solide notoriété repose sur les résultats spectaculaires de sa méthode, qu'il a appliquée plus spécifiquement à la gent féminine dans son ouvrage *La méthode simple pour les femmes qui veulent arrêter de fumer*. Il est désormais considéré comme l'expert numéro un dans l'assistance aux fumeurs qui souhaitent arrêter la cigarette. Au début, les fumeurs des quatre coins du monde se retrouvaient dans son centre de Londres ; aujourd'hui, son réseau de centres couvre les cinq continents.

Cinq autres ouvrages fidèles aux principes qui ont fait le succès de sa méthode ont été traduits en français et sont désormais disponibles aux éditions Pocket, notamment *La méthode simple pour perdre du poids*, *La méthode simple pour prendre l'avion sans avoir peur* et *La méthode simple pour avoir du succès*.

Allen Carr est décédé le 29 novembre 2006.

ÉVOLUTION

Des livres pour vous faciliter la vie !

Arrêter de fumer tout de suite

ÉGALEMENT CHEZ POCKET

* La Méthode simple pour en finir avec la cigarette
* Arrêter de fumer tout de suite
* La Méthode simple illustrée pour en finir avec la
* Mon programme pour en finir avec la cigarette
* La Méthode simple pour perdre du poids
* La Méthode simple illustrée pour perdre du poids tout de suite
* La Méthode simple pour maîtriser sa consommation d'alcool
* La Méthode simple pour se libérer de l'addiction au jeu
* La Méthode simple pour prendre la vie du bon côté
* La Méthode simple pour se libérer de ses peurs et de ses inquiétudes
* Bon sucre, mauvais sucre
* La Nouvelle Méthode simple pour en finir avec la cigarette

Allen Carr

Arrêter de fumer tout de suite

Traduit de l'anglais
par Didier Sénécal

POCKET

ISBN : 978-2-266-20650-1

LA MÉTHODE SIMPLE D'ALLEN CARR

Allen Carr a fumé cigarette sur cigarette pendant plus de trente ans. En 1983, après d'innombrables tentatives de sevrage avortées, il est passé de cinq paquets par jour à zéro cigarette sans souffrir des symptômes de l'état de manque, sans recourir à sa force de volonté et sans prendre de poids. Il venait de découvrir ce que des millions de personnes attendaient : *La Méthode simple pour en finir avec la cigarette*. Il a alors décidé de venir à l'aide des fumeurs du monde entier.

Grâce au succès phénoménal de sa méthode, il a acquis une réputation mondiale d'expert en sevrage tabagique, et son réseau de centres couvre aujourd'hui les cinq continents. Son premier livre, *La Méthode simple pour en finir avec la cigarette*, vendu à plus de 13 millions d'exemplaires, traduit en plus de quarante langues, demeure un best-seller international. En 1998, il a été invité à prononcer un discours à la Dixième Conférence mondiale sur le tabac et la santé – un honneur jamais conféré jusqu'alors à une personnalité sans formation médicale.

La Méthode simple d'Allen Carr a été déclinée pour d'autres problèmes tels que l'alcool, le surpoids, le tabagisme des enfants et la peur de l'avion. Certains centres Allen Carr donnent des consultations sur l'alcoolisme et le surpoids, et il existe également un service destiné aux entreprises qui veulent aider leurs employés à résoudre leurs problèmes liés au tabac, à l'alcool et au surpoids.

Des centaines de milliers de fumeurs ont réussi à arrêter dans les centres Allen Carr, dont le taux de succès dépasse 90 %, et qui garantissent le remboursement en cas d'échec. La liste de ces centres se trouve à la fin de ce livre. Si vous avez besoin d'aide, ou si vous souhaitez poser des questions, n'hésitez surtout pas à contacter le centre le plus proche de votre domicile.

Pour davantage d'informations sur la Méthode simple d'Allen Carr, veuillez consulter le site www.allencarr.com

LA CLEF DE LA LIBERTÉ

SOMMAIRE

INTRODUCTION

Par un banal après-midi d'avril 1989, un événement extraordinaire est survenu dans ma vie. J'étais un grand fumeur. Je savais que cela me détruisait et me coûtait une fortune. Mais le pire, c'était de sentir que le tabac contrôlait mon existence. J'avais déjà essayé d'arrêter en ayant recours à la volonté, aux chewing-gums à la nicotine et à diverses autres techniques, mais chaque fois cela se soldait par des souffrances et par un échec. Je redoutais de ne jamais pouvoir profiter d'un repas ou d'une soirée entre amis sans cigarettes, et de ne pas être capable de surmonter mon stress. Je craignais également de devoir endurer le même traumatisme que lors de mes précédentes tentatives avortées, et de ne jamais parvenir à me libérer de l'envie de fumer.

En sonnant à la porte de la modeste demeure d'Allen Carr, dans la banlieue londonienne de Raynes Park, je pensais que ce nouvel essai ne serait guère différent des autres. Pourtant, mon frère aîné était venu assister à une séance, après quoi il n'avait eu aucun mal à arrêter et n'avait selon ses dires éprouvé aucun manque. C'était d'autant plus surprenant qu'il était un très gros fumeur et que j'avais été témoin de ses échecs à répétition. Comme une demi-douzaine d'autres fumeurs invétérés m'avaient rapporté des expériences similaires, j'avais commencé à entrevoir une lueur d'espoir. Et puisque le remboursement était garanti en cas d'échec, je m'étais dit : « Qu'est-ce que j'ai à perdre ? »

Les cinq heures que j'ai passées en compagnie d'Allen Carr et d'un groupe de fumeurs il y a vingt ans ont changé ma vie. Lorsque je suis entré dans cette maison, j'étais obligé d'avoir en permanence un minimum de deux paquets sur moi, faute de quoi c'était la panique assurée ; j'étais persuadé que j'allais devoir renoncer à l'un des plus grands plaisirs de l'existence, au prix de souffrances et d'une terrible impression de manque ; j'avais peur d'être incapable désormais d'affronter les situations difficiles ; bref, une vie sans cigarettes me paraissait presque inimaginable. Je suis ressorti de cette séance délivré du besoin et de l'envie de fumer, et le sevrage n'a pas occasionné la moindre angoisse. Comme mon frère et mes amis, j'ai arrêté facilement, sans devoir recourir à ma force de volonté. Les prédictions d'Allen se sont réalisées aussitôt : j'étais en mesure de profiter des soirées entre amis et de gérer mon stress avec une plus grande efficacité. Je n'éprouvais aucun manque, mais un immense soulagement et un fabuleux sentiment de liberté. En outre, comme les autres, je n'ai pas pris un kilo. C'était vraiment extraordinaire.

J'ai compris brusquement qu'Allen Carr avait mis au point une méthode capable d'aider des millions de fumeurs à travers le monde, et je lui ai écrit pour lui demander de participer à cette mission. Par bonheur, il a accédé à ma requête. Allen m'a donné une formation de thérapeute, et ensemble nous avons fondé un deuxième centre de soins à Birmingham. Peu de temps après, j'ai eu la chance d'être nommé directeur d'une entreprise ayant pour vocation de populariser la Méthode simple dans le monde entier ; ainsi, l'organisation internationale dont j'avais rêvé commençait à devenir réalité.

À ce jour, plus de 350 000 personnes ont fréquenté nos centres dans quarante pays. Nous garantissons toujours le remboursement des frais engagés à ceux qui rechutent dans les trois mois. La plupart des fumeurs n'ont besoin que d'une seule séance, et moins de 10 % des participants demandent à être remboursés.

En outre, plus de 12 millions d'exemplaires de *La Méthode simple* d'Allen Carr, traduits dans une bonne quarantaine de langues, ont été vendus de par le monde. Avec 30 à 40 millions de lecteurs, elle détient le record absolu dans l'histoire des méthodes de sevrage tabagique. Ce succès phénoménal n'est dû ni à la publicité ni au marketing, mais au bouche à oreille suscité par des millions d'anciens fumeurs. Si la Méthode simple d'Allen Carr s'est répandue à la surface de la planète, c'est pour une seule et bonne raison : PARCE QU'ELLE MARCHE.

Vous tenez à présent entre vos mains la clef de votre liberté.

Robin Hayley,
directeur de La Méthode simple d'Allen Carr
(International) Ltd

CHAPITRE 1

POURQUOI FUMEZ-VOUS ?

DANS CE CHAPITRE

• L'ADDICTION À LA NICOTINE • LA MÉTHODE SIMPLE RÉVÈLE LA VÉRITÉ • L'IMPRESSION DE VIDE • GUÉRIR LES FUMEURS • DÉVOILER LES MYTHES

LA DÉPENDANCE À LA NICOTINE

La nicotine, liquide incolore et huileux, est la drogue contenue dans le tabac qui vous rend accro à la cigarette. Aucune drogue connue ne possède un effet addictif aussi rapide, et une seule cigarette peut suffire à vous faire tomber dans l'addiction.

Chaque fois que vous tirez sur votre cigarette, une petite dose de nicotine traverse vos poumons et atteint votre cerveau à une vitesse encore supérieure à celle de l'héroïne que le toxicomane s'injecte dans les veines. À raison de vingt bouffées par cigarette, une seule cigarette vous procure vingt doses de nicotine.

La nicotine est une drogue à effets rapides : son niveau dans le flux sanguin diminue de moitié en une demi-heure, des trois quarts en une heure. Cela explique pourquoi la majorité des fumeurs consomment en moyenne une vingtaine de cigarettes par jour. Dès que vous éteignez votre cigarette, la nicotine commence à quitter votre organisme.

Arrivé à ce point, je dois dissiper une illusion communément répandue à propos de l'angoisse liée à l'état de manque. Les fumeurs associent cette angoisse aux terribles souffrances qu'ils éprouvent quand ils essayent d'arrêter de fumer ou qu'on les y contraint. En réalité, il s'agit surtout d'un phénomène psychologique : le fumeur ressent la privation de son plaisir ou de son soutien. Je reviendrai plus loin sur cette question.

L'état de manque physique est en fait si subtil que la plupart des fumeurs vivent et meurent sans s'être rendu compte qu'ils étaient des toxicomanes. Pour eux, l'expression « accro à la nicotine » ne recouvre qu'une « mauvaise habitude ». Pourtant, même si les drogues leur font horreur, ils sont eux aussi des toxicomanes. Heureusement, il s'agit d'une drogue dont vous pouvez vous libérer facilement, à condition de commencer par regarder la vérité en face : vous souffrez d'une addiction.

Sept secondes après avoir allumé une cigarette, le fumeur reçoit une nouvelle dose de nicotine, son malaise s'apaise, il se détend et reprend confiance en lui – autant d'effets bénéfiques qu'il attribue à la cigarette.

Au début, lorsque que nous commençons à fumer, l'état de manque et le soulagement qui lui succède sont si ténus que nous n'en prenons même pas conscience. Ensuite, quand notre consommation devient régulière, nous nous imaginons y trouver du plaisir, ou bien céder à une « habitude ». En réalité, nous sommes déjà accros sans le savoir. Un « Petit Monstre » avide de nicotine est apparu dans notre organisme, et il exige d'être nourri régulièrement.

Nous commençons tous à fumer pour des raisons stupides. Et si nous continuons, que nous soyons des fumeurs occasionnels ou invétérés, c'est pour approvisionner le Petit Monstre.

Ironiquement, le seul plaisir que le fumeur cherche dans la cigarette consiste à retrouver l'état de paix, de tranquillité et d'assurance qu'il connaissait avant de devenir accro. Imaginez que le système d'alarme d'un de vos voisins retentisse pendant des heures : lorsqu'enfin il se tait, vous ressentez une impression merveilleuse de calme et de sérénité, mais il ne s'agit en fait que de l'interruption d'une nuisance. Chaque fois qu'il allume une cigarette, le fumeur s'efforce de mettre un terme à la sensation de manque et d'insécurité liée à la privation de nicotine – sensation totalement inconnue du non-fumeur. Autrement dit, nous fumons pour éprouver la même chose que les non-fumeurs.

Autrefois, notre organisme connaissait la plénitude. Depuis que nous lui fournissons de la nicotine, il souffre d'un état de manque chaque fois que nous éteignons une cigarette et que la drogue s'évapore – non pas une douleur physique, mais une sensation de vide. Nous en avons à peine conscience, et notre esprit rationnel a du mal à appréhender la vérité, mais il y a en nous comme un robinet qui fuit. Nous savons seulement que nous avons envie d'une cigarette et qu'il nous suffira de l'allumer pour que cet état de manque disparaisse, pour que nous retrouvions le plaisir et l'assurance qui étaient notre lot quotidien avant de tomber accros. Cependant, cette satisfaction est éphémère, car il faut sans cesse recourir à de nouvelles doses de nicotine. C'est un cercle vicieux, une peine de prison à vie – À MOINS DE S'ÉVADER.

« JE VAIS GUÉRIR TOUS LES FUMEURS DE LA TERRE ! »

On m'a souvent demandé en quoi j'étais qualifié pour venir en aide aux fumeurs. Après tout, je ne suis ni médecin ni psychiatre. Je vais donc vous expliquer pourquoi nul n'est plus qualifié que moi.

Pendant trente-trois ans, j'ai fumé comme un sapeur : entre soixante et cent cigarettes par jour. J'étais une épave et je me sentais très mal. Outre des problèmes de santé chroniques, je me méprisais et j'avais l'impression de ne plus avoir aucun contrôle sur ma vie.

À force de tousser, je souffrais sans cesse de migraines. Je saignais souvent du nez, mes sinus m'élançaient en permanence, et je vivais dans la hantise de mourir d'une hémorragie du cerveau. Je savais que le tabac était en train de me tuer, mais je continuais à fumer.

J'ai fait plusieurs dizaines de tentatives pour arrêter. Une fois, j'ai tenu bon pendant six mois, mais le problème était intact. Curieusement, je n'ai jamais aimé fumer ; j'ai échappé à l'illusion du plaisir. Mais j'étais persuadé que la cigarette m'aidait à me détendre, qu'elle me rendait plus courageux, plus sûr de moi, et je me croyais incapable d'être heureux sans elle.

Ma vie dépendait du tabac, et j'étais prêt à mourir plutôt que de m'en passer. Je n'ai jamais rencontré personne qui soit aussi accro que moi (ou du moins que je pensais l'être).

Lorsque je décris l'abîme dans lequel j'étais tombé, je sais que la plupart de mes lecteurs, en particulier les jeunes et les fumeurs occasionnels, se consolent en se disant : « Je ne descendrai jamais aussi bas, je m'arrêterai avant. »

Je sais également que certains d'entre vous se préparent déjà à des descriptions aussi épouvantables qu'interminables, et qu'ils me soupçonnent de vouloir employer la peur pour les obliger à arrêter. Il n'en est rien. Si les méthodes brutales étaient efficaces, je n'hésiterais pas une seconde à y recourir. Mais les menaces de ce genre ne m'ont pas aidé à me libérer, et si elles avaient un quelconque effet sur vous, vous seriez déjà des non-fumeurs. Je n'ai pas du tout l'intention de jouer sur la peur, je vous le promets, car je n'ai que de bonnes nouvelles à vous annoncer.

Vous devez comprendre pourquoi les fumeurs qui ont conscience d'être en train de se tuer continuent malgré tout. Sinon, vous non plus vous ne renoncerez pas à la cigarette.

À l'époque où je fumais, j'ai décidé un beau jour de me plier à la demande de ma femme Joyce et d'aller voir un hypnothérapeute qui se faisait fort d'aider les gens à arrêter. J'étais convaincu de l'inutilité de cette démarche, mais Joyce avait joué sur mon sentiment de culpabilité, et je pensais qu'en me soumettant à ce rituel je pourrais rentrer à la maison l'esprit libre et lui dire : « Tu vois, j'ai perdu du temps et de l'argent. Que cela te plaise ou non, tu ferais mieux d'accepter le fait que je suis incapable de m'arrêter. »

Pourtant, c'est un tout autre langage que je lui ai tenu en rentrant à la maison :

« JE VAIS GUÉRIR TOUS LES FUMEURS
DE LA TERRE ! »

Joyce a réagi avec scepticisme, ce qui n'avait rien d'étonnant. Elle avait été témoin de tant d'essais avortés et n'avait pas oublié l'époque où je lui jurais que j'avais arrêté, tout en continuant à fumer en cachette. Ma dernière tentative, deux ans auparavant, s'était terminée par des larmes après des mois de dépression, de mauvaise humeur et d'affreuses souffrances.

Cette fois, c'était différent

Vous aurez peut-être du mal à me croire, mais avant même d'écraser mon ultime cigarette, j'étais déjà devenu un non-fumeur, et je savais que plus jamais je n'éprouverais le besoin ni l'envie de fumer.

Je ne m'attendais nullement à ce que cela soit aussi facile. Ce fut donc pour moi une incroyable révélation : non seulement arrêter de fumer était un jeu d'enfant, mais c'était même un plaisir, et ce dès l'instant où vous éteigniez votre dernière cigarette. Cela ne m'a demandé aucune volonté, je n'ai éprouvé aucun symptôme de l'état de manque, et depuis ce jour-là je n'ai jamais ressenti le moindre désir de fumer. Pour couronner le tout, loin de prendre du poids, j'ai perdu plus de 13 kilos.

La fameuse prise de poids dont souffriraient les gens qui arrêtent de fumer est un mythe. Six mois après avoir écrasé ma dernière cigarette, j'avais maigri de plus de 13 kilos !

Le 15 juillet 1983 a été le jour le plus important de ma vie, celui où chaque chose s'est remise à sa place et où j'ai enfin compris que je n'avais nullement besoin de fumer. Cette révélation n'était pas une conséquence de l'hypnothérapie, mais d'une phrase prononcée par le thérapeute.

À un moment, il a dit : « Le tabagisme est une addiction. » Un simple constat, une banale évidence, mais qui ne m'avait jamais encore traversé l'esprit. Son effet a été sidérant. Tout ce qu'il aurait pu ajouter était désormais inutile : je tenais la clef qui allait ouvrir la porte de ma cellule.

Si la cigarette n'était qu'une drogue, elle perdait tout son pouvoir et tout son attrait. Je ne fumais pas pour obtenir du plaisir ou du réconfort, mais parce que j'étais obligé de soulager mon addiction. Il n'existait aucune différence génétique entre les fumeurs et les non-fumeurs : le tabagisme était un piège dans lequel n'importe qui pouvait tomber s'il succombait un jour à la tentation de la première cigarette. À partir de cet instant, j'ai su que je pourrais me libérer pour toujours – et aider les autres à s'évader.

Pour réussir votre sevrage, vous devez réfléchir à ce que vous apporte la cigarette. En prenant conscience qu'arrêter de fumer n'est pas un sacrifice, vous vous engagez sur le chemin de la liberté.

Je reviendrai plus loin sur l'hypnothérapie et sur les effets bénéfiques qu'on peut en attendre, mais je vous le répète, ce n'est pas l'hypnothérapie qui m'a permis d'arrêter. Bien que je n'aie pas pris toute la mesure de ce qui m'arrivait ce jour-là, j'avais déjà la certitude d'avoir découvert ce à quoi aspirent tous les fumeurs :

UNE MÉTHODE SIMPLE POUR ARRÊTER DE FUMER

Au début, je n'ai pas compris pourquoi mes précédentes tentatives s'étaient transformées en calvaires, alors que cette fois-ci c'était exactement le contraire. Je continuais à me poser la mauvaise question : d'où venait cette facilité et ce plaisir soudains ? C'est en repensant aux cauchemars vécus auparavant chaque fois que j'avais essayé d'arrêter que le mystère s'est éclairci.

La magnifique vérité est la suivante : IL EST FACILE D'ARRÊTER SI VOUS PRENEZ LE BON CHEMIN. Mais si vous vous engagez sur une voie de traverse, cela devient PRESQUE IMPOSSIBLE.

J'ai alors élaboré une méthode pour indiquer le bon chemin, et je l'ai testée sur des amis et des relations. Les résultats de ces expériences m'ont renforcé dans l'idée que cette méthode pouvait s'avérer efficace pour n'importe quel fumeur.

Cette conviction était si forte que j'ai pris une décision cruciale : j'ai abandonné ma profession pour ouvrir à plein temps un centre d'aide aux fumeurs désireux d'échapper à l'esclavage de la nicotine.

La nouvelle s'est répandue comme une traînée de poudre grâce au bouche à oreille, rendant toute publicité inutile. Non seulement les fumeurs ont accouru des quatre coins du Royaume-Uni, mais beaucoup ont débarqué du monde entier sur la foi des témoignages de patients satisfaits.

Lorsqu'il est devenu impossible de traiter autant de personnes, j'ai exposé ma méthode dans un livre, *La Méthode simple pour en finir avec la cigarette*. Cet ouvrage allait devenir le plus grand best-seller dans le domaine de la lutte contre le tabagisme, avec des traductions dans une bonne quarantaine de langues et plus de 10 millions d'exemplaires vendus.

POURQUOI LA TERRE N'EST-ELLE PAS ENCORE DÉBARRASSÉE DE CE FLÉAU ?

Bien que des millions de personnes aient arrêté de fumer grâce à la Méthode simple d'Allen Carr, le tabagisme demeure le premier fléau mondial. Comment la cigarette conserve-t-elle son emprise sur la société, et comment pouvez-vous lui échapper ?

J'ai d'abord pensé que cinq minutes me suffiraient pour persuader d'arrêter n'importe quel fumeur raisonnablement intelligent, en lui exposant deux faits élémentaires :

1. Le seul plaisir ou le seul soutien que reçoit le fumeur lorsqu'il allume une cigarette, c'est le soulagement de ne plus éprouver la sensation de vide et d'insécurité liée à l'état de manque – sensation totalement inconnue du non-fumeur.

2. Bien loin d'apporter un soulagement, c'est la cigarette qui produit cette impression de vide. Le plaisir ou le soutien qu'elle procure est donc une illusion. C'est comme si l'on portait des chaussures trop petites pour avoir ensuite le bonheur de les retirer.

Je me donnais dix ans pour éradiquer le tabagisme dans le monde entier. Or, un quart de siècle s'est écoulé, et il n'y a jamais eu autant de fumeurs à la surface de la planète : environ 1,3 milliard d'êtres humains.

Ennemi public numéro un, le tabagisme tue au moins 5 millions de personnes par an. Ce nombre augmente rapidement, et l'Organisation mondiale de la santé estime qu'il aura doublé en 2020.

Les gens continuent à fumer malgré les lois bannissant la publicité pour le tabac dans les lieux publics. Plus les gouvernements restreignent la marge de manœuvre de l'industrie du tabac, plus celle-ci doit se montrer ingénieuse si elle veut diffuser ses messages insidieux.

Tous les gens qui travaillent dans le marketing vous le diront : la publicité directe est un moyen onéreux, grossier et inefficace de diffuser un message. Il vaut mieux présenter vos produits dans des situations quotidiennes et créer l'impression qu'ils font partie intégrante d'un mode de vie très attirant. Il est encore préférable de les montrer dans les mains de célébrités que le public considère comme des modèles.

• • UN FAIT INDÉNIABLE • •

En vous disant que chaque cigarette vous enlève plus de sept minutes de vie, les médecins espèrent vous aider à arrêter. Mais les fumeurs savent déjà que le tabac est en train de les tuer, et ils n'y renoncent pas pour autant.

Au début des années 1980, la cigarette avait pratiquement disparu des écrans de cinéma. Ce n'est sans doute pas une coïncidence si elle a retrouvé l'omniprésence qu'elle avait dans les films hollywoodiens des années 1940 et 1950 depuis qu'elle est interdite sur les panneaux publicitaires et dans les lieux publics.

La même épidémie est visible à la télévision, où de nombreux héros de séries fument ostensiblement. Cela coûte très cher de produire un feuilleton, et plus encore un film. En montrant des fumeurs sur le petit ou sur le grand écran, les producteurs amortissent une partie de leurs dépenses, et de son côté l'industrie du tabac exerce son influence par des moyens de plus en plus sophistiqués.

Il est de notoriété publique que les grands réalisateurs hollywoodiens ont touché des millions de dollars pour mettre en scène des fumeurs dans leurs films. Les stars et les *top models* perçoivent également des sommes colossales pour fumer sur les plateaux de cinéma, dans les défilés de mode ou lors des réceptions. Ce n'est pas un hasard si les journaux et les magazines regorgent de photos de *people* la cigarette au bec !

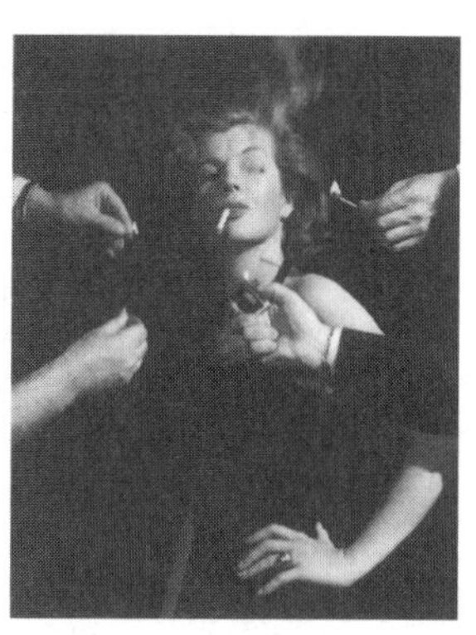

L'actrice Corinne Calvet. Durant l'âge d'or de Hollywood, les stars touchaient des fortunes pour fumer devant les caméras.

Néanmoins, ce n'est pas la faute de l'industrie du tabac si je n'ai pas pu éradiquer la cigarette en dix ans. Il m'a d'abord fallu convaincre les fumeurs que leur tabagisme ne résultait pas d'un choix, mais qu'ils étaient tombés dans un piège.

La ruse suprême de ce piège, c'est que de longues années peuvent s'écouler avant qu'on ne prenne conscience d'en être la victime ! Dans ma naïveté, je me figurais que s'il avait existé un bouton magique permettant de se retrouver dans l'état où l'on était avant d'avoir allumé sa première cigarette, tous les fumeurs appuieraient dessus sans hésiter une seconde. Mais j'ai vite compris que beaucoup de gens étaient sous l'emprise d'une illusion très répandue : ils croyaient contrôler la situation. Si vous êtes de ce nombre, je vous demande d'y réfléchir à deux fois.

VOUS N'AVEZ PAS CHOISI DE FUMER

Si vous pouviez contrôler votre consommation, vous ne seriez pas en train de lire ce livre. Si vous pouviez décider de fumer ou de ne pas fumer, vous auriez déjà choisi d'être un non-fumeur.

Résumé

- La nicotine est le poison qui vous rend accro. Elle est aussi l'ennemi public numéro un.
- Si les gens continuent à fumer malgré tous les inconvénients évidents que cela représente, c'est parce qu'ils sont tombés dans un piège.
- L'addiction à la nicotine vous oblige à continuer de fumer. Il s'agit d'une maladie.
- Vous ne contrôlez pas la cigarette. C'est elle qui vous contrôle.

CHAPITRE 2

LE PIÈGE

DANS CE CHAPITRE

LA PEUR VOUS OBLIGE À CONTINUER • LE PIÈGE DE LA NICOTINE • LE PETIT MONSTRE DANS VOTRE ORGANISME • LE GRAND MONSTRE DANS VOTRE ESPRIT • COMMENT ÉCHAPPER AU PIÈGE

De nombreux condamnés à de lourdes peines commettent de nouveaux forfaits peu après leur élargissement, non pas parce qu'ils s'imaginent que le crime paie, mais parce que c'est pour eux le seul moyen de retrouver la « sécurité » de la prison. Cela nous aide à comprendre pourquoi des fumeurs qui toussent à longueur de journée et ne retirent à l'évidence aucun plaisir du tabac continuent à fumer. Un mot suffit à résumer ce phénomène : la PEUR.

Chez ces personnes, la peur de rester pris au piège est parfois moins forte que celle de s'en libérer. Je dois pourtant le répéter clairement : n'importe quel fumeur se sentira plus heureux et plus sûr de lui une fois qu'il se sera évadé de la prison de la nicotine.

Dans ce cas, pourquoi les fumeurs refusent-ils d'écouter les arguments puissants qui devraient les inciter à arrêter, et pourquoi cherchent-ils le moindre prétexte pour allumer une dernière petite cigarette ?

Le piège de la nicotine

L'esprit du fumeur est le théâtre d'un combat permanent. D'un côté, il se dit : « Le tabac est un poison mortel, ruineux, répugnant, dictatorial ! » Et de l'autre : « Comment pourrai-je profiter de l'existence sans ce petit plaisir et maîtriser mon stress sans cette petite béquille ? Aurai-je la force de volonté nécessaire pour surmonter la terrible épreuve du sevrage ? Serai-je complètement délivré de l'envie de fumer ?

Vous avez peut-être eu des doutes lorsque j'ai qualifié le tabagisme de maladie au chapitre 1. Vous en avez peut-être déduit que je voulais dire par là qu'il provoquait d'autres pathologies. Eh bien, pas du tout. À mes yeux, le tabagisme est une maladie en soi, une maladie nommée addiction à la nicotine. De nos jours, les autorités médicales la considèrent d'ailleurs comme telle.

En outre, l'addiction à la nicotine n'est pas simplement un effet secondaire du tabagisme : elle est la seule et unique raison qui pousse les gens à fumer. Les fumeurs sont pris à l'hameçon, comme des poissons au bout d'une ligne.

Pourquoi rechignons-nous à regarder la vérité en face ? Pourquoi ignorons-nous l'avertissement imprimé sur chaque paquet de cigarettes ? Pourquoi les parents ont-ils si peur que leurs enfants tombent dans le piège de l'héroïne, qui tue infiniment moins de gens que le tabac ? Pourquoi oublient-ils que beaucoup d'adultes sont eux-mêmes prisonniers de l'ennemi public numéro un ?

Peu après l'ouverture de mon premier centre, en 1983, nous avons découvert l'existence d'un nouveau fléau absolument terrifiant, le sida. Les experts prévoyaient 3 000 décès au Royaume-Uni à l'horizon 1990. Nous avions le sentiment que le sida constituait une menace pour l'humanité tout entière. Pourtant, 2 000 citoyens britanniques mouraient chaque semaine du tabagisme depuis de très longues années, et il en était de même dans le reste du monde.

Nous nous consolons en nous répétant que nous passerons à travers les gouttes, ou que nous arrêterons avant qu'il ne soit trop tard. Mais même si la mort nous épargne, nous nous condamnons à la mauvaise haleine, aux dents jaunies, au souffle court, aux quintes de toux, à une existence misérable et léthargique. Pourquoi diable ne prenons-nous jamais conscience de cet esclavage ?

La plupart du temps, nous fumons mécaniquement. Nous n'y pensons que lorsque nous nous mettons à tousser et que nous nous maudissons d'avoir pris cette mauvaise habitude ; ou quand nous envoyons de la fumée au visage d'un non-fumeur et que la honte nous saisit ; ou bien lorsque nous allons tomber en panne de cigarettes et que la panique nous envahit ; ou encore quand nous nous retrouvons coincés dans un endroit où il est interdit de fumer.

Vous parlez d'un plaisir ! Soit vous fumez mécaniquement, soit vous rêvez de pouvoir échapper à tous ces inconvénients. Et la cigarette ne devient vraiment précieuse que lorsque vous êtes obligé de vous en passer.

Vous attribuez peut-être la responsabilité de votre addiction aux marchands de mort de l'industrie du tabac. Mais ils ne représentent qu'un aspect du problème. Malgré leur puissance et leur ingéniosité, ce ne sont pas les cigarettiers qui m'ont empêché d'éradiquer le tabagisme.

J'avais grandement sous-estimé l'incompétence, l'apathie, l'ignorance et la stupidité des institutions qui auraient dû être mes meilleures alliées : les instances médicales et leurs soi-disant experts, les organismes spécialisés dans la lutte contre le tabagisme, les pouvoirs publics, l'administration et les médias, loin de venir en aide aux malheureux fumeurs, persistent à leur donner des conseils qui leur assurent un esclavage à vie !

Ils perpétuent des mythes éculés : la cigarette est une habitude, un plaisir et un soutien ; le fumeur a choisi de fumer ; il aime fumer. Sans oublier le mensonge suprême : il est difficile d'arrêter.

La psychologie des accros à la nicotine est telle que les mesures énergiques, du type interdictions et mises en garde alarmistes, ne servent à rien. Pis encore, elles renforcent le mythe selon lequel il serait difficile de se libérer du tabagisme. Pour moi, c'est exactement le contraire :

Il EST FACILE D'ARRÊTER DE FUMER !

Vous avez sans doute du mal à le croire si, comme moi, vous avez multiplié les tentatives pénibles et débouchant sur des échecs à répétition. Mais la tâche la plus aisée devient impossible si l'on emprunte le mauvais chemin. Avec la Méthode simple d'Allen Carr, la libération deviendra un plaisir dès l'instant où vous éteindrez votre dernière cigarette.

Toutes les institutions que je viens de mentionner vous serinent qu'il faut une volonté de fer pour arrêter. Ils vous recommandent des produits à base de nicotine et d'autres substituts pour vous aider à surmonter les affres du sevrage. Ils ne font ainsi que vous enfoncer encore davantage dans le piège. Vous ne vous en échapperez pas avant d'avoir compris les deux vérités suivantes :

ARRÊTER DE FUMER N'EXIGE AUCUNE VOLONTÉ
LE SEVRAGE NE PRODUIT AUCUNE DOULEUR PHYSIQUE

Votre addiction est à 1 % d'ordre physique, à 99 % d'ordre mental. Lorsque vous arrêtez de fumer, la nicotine disparaît très vite de votre organisme, sans causer aucune souffrance.

Si l'on pouvait mesurer la sensation physique, elle serait comparable à une très légère démangeaison. C'est ce que j'appelle le Petit Monstre de la nicotine. Mais un véritable lavage de cerveau vous fait croire que le tabac vous apporte un soutien et un plaisir, et que vous ne pouvez pas vivre sans lui. Lorsque le taux de nicotine diminue dans votre organisme, le Petit Monstre produit un signal dans la région de votre estomac, que le Grand Monstre interprète de la manière suivante : « Je veux une cigarette. » Ainsi fonctionne le piège ingénieux qui transforme les fumeurs en esclaves. Chaque cigarette crée l'envie de fumer la suivante, afin de remplir le vide provoqué par la baisse du taux de nicotine. Un processus qui se répète à l'infini…

COMMENT ÉCHAPPER AU PIÈGE

Pour se libérer, il suffit de détruire le Grand Monstre, et il n'existe qu'un seul moyen d'y parvenir. Pas question de volonté ni de substituts nicotiniques. La seule façon d'arrêter sans ressentir de manque consiste à éliminer le lavage de cerveau qui a donné naissance au Grand Monstre dans votre esprit.

L'ambition de ce livre est de vous montrer de quelle manière vous avez été attiré dans le piège de la nicotine ;

de dissiper les mythes et les illusions qui vous maintiennent prisonnier ; de vous expliquer comment gagner et conserver votre liberté ; de vous aider, vous et des millions d'autres personnes, à *Arrêter de fumer tout de suite !*

Pour ce faire, vous devez comprendre et suivre TOUTES les instructions, même si certaines de mes affirmations vous semblent extrêmement dogmatiques. Ma méthode, fondée sur vingt-cinq ans d'expérience, exige que vous entriez dans un certain état d'esprit. Par conséquent, ma PREMIÈRE INSTRUCTION est d'obéir systématiquement chaque fois que je vous demande de faire ou de ne pas faire quelque chose.

Il est essentiel que vous compreniez parfaitement ce que vous lisez. Ne négligez rien sous prétexte que cela vous semble évident. Pesez et soupesez chaque phrase. Remettez en cause vos opinions et vos préjugés. Lorsque le moment viendra de fumer votre dernière cigarette, vous devrez être persuadé, sans l'ombre d'un doute, que vous n'aurez plus jamais aucune raison d'en allumer une autre.

Enfin, pendant que vous lisez ce livre, il est inutile de réduire votre consommation. Fumez comme d'habitude, et n'essayez pas d'arrêter avant que je ne vous le demande. Ne vous inquiétez pas : à la fin du livre, vous écraserez votre dernière cigarette avec un indicible bonheur.

« J'ai ressenti un sentiment de liberté enivrant. »

Celia Hall, rédactrice de la rubrique Médecine,
The Independent

Résumé

- L'esprit du fumeur est sous l'emprise de la peur.
- Apprenez à connaître le Petit Monstre de la nicotine.
- Le sevrage ne cause aucune douleur physique.
- Apprenez à connaître le Grand Monstre.
- L'addiction est à 99 % d'ordre mental.
- Il existe un moyen facile d'arrêter de fumer.
- La force de volonté et les substituts nicotiniques sont inutiles.
- Continuez à fumer comme d'habitude jusqu'à ce que vous soyez prêt à vous évader.

CHAPITRE 3

LE MYTHE

DANS CE CHAPITRE

COMMENT DÉBUTE LA DÉPENDANCE • LA SONNETTE D'ALARME • L'IMPRESSION DE VIDE • CHAQUE CIGARETTE EN APPELLE UNE AUTRE • REPROGRAMMER VOTRE CERVEAU • LA CLEF DE LA LIBERTÉ

UN PLAISIR ILLUSOIRE

Les fumeurs sont parfois très convaincants quand ils affirment tirer un authentique plaisir de la cigarette.

Beaucoup de gens intelligents et dotés d'une grande force de volonté ne fument que quelques cigarettes par jour. Ils vous assurent être capables de s'en passer s'ils le souhaitent. Mais pourquoi diable insistent-ils sur ce point précis ? S'ils vous parlaient de leur passion pour le golf, ils ne se sentiraient pas obligés de vous dire : « Vous savez, je peux m'abstenir de jouer pendant plusieurs jours si je le souhaite. »

Nous avons tous parfaitement conscience des dangers du tabac avant de tomber dans le piège de la nicotine, mais celui-ci est si ingénieux que presque tout le monde finit un jour ou l'autre par allumer une première cigarette. Si vous demandez à un adolescent pourquoi il commence à fumer, il vous répondra qu'il y prend du plaisir. À l'évidence, c'est faux. Le goût et l'odeur lui répugnent, et il n'ose pas avaler la fumée de peur de tousser ou de vomir.

Reposez-lui la même question quelques semaines plus tard, et il vous répondra : « J'aime le goût et l'odeur du tabac. » Cette fois-ci il ne ment plus. Il croit à ce qu'il dit, mais cela signifie en fait qu'il s'est habitué à ce goût et à cette odeur nauséabonds. Attendez encore quelques semaines, et il ajoutera : « Ça me détend. Ça m'aide à me concentrer. Et ça me donne confiance en moi. »

En très peu de temps, l'objet âcre et malodorant s'est donc transformé en béquille. Ce n'est pas la cigarette qui a changé, mais la perception qu'en a l'adolescent. Celle-ci continue d'ailleurs à évoluer, et quelques années plus tard, votre interlocuteur vous répondra probablement : « C'est juste une habitude que j'ai prise. »

Pourquoi le prétendu plaisir et la confiance en soi font-ils place à une simple « habitude » ? Tout simplement parce que nous perdons nos illusions sur les bienfaits de la cigarette et que nous voudrions ne jamais avoir commencé. Hélas ! chaque fois que nous essayons d'arrêter en recourant à notre force de volonté, nous éprouvons une privation et une souffrance qui nous empêchent de réussir. Et peu à peu nous comprenons que nous sommes accros.

Reposez la même question une fois que votre interlocuteur a atteint le stade où il sent qu'il est en train de se tuer à petit feu, où il s'endort le soir en priant pour se réveiller le lendemain matin délivré de cette envie de fumer, ou du moins avec la volonté farouche de combattre la tentation.

Il n'existe dès lors qu'une seule réponse honnête : « JE SUIS UN DROGUÉ ! »

Nos excuses ne cessent de changer, mais la vraie raison qui nous pousse à fumer est toujours la même : nous nous efforçons d'éliminer la sensation de vide et d'insécurité créée par la première cigarette. Bien entendu, chaque cigarette prolonge cette sensation au lieu de l'apaiser et fait en sorte que vous continuiez à souffrir pour le restant de vos jours.

Mais ce n'est pas une fatalité. Une fois que vous aurez balayé le lavage de cerveau, les illusions et les mensonges, vous vous libérerez facilement. Après tout, si vous aviez écouté votre instinct, vous ne seriez jamais devenu accro.

Faites confiance à votre instinct

En nous adaptant à la vie moderne, nous avons sapé de nombreuses réactions instinctives cruciales pour notre survie. Le corps humain est doté de forces innées, dont la plus puissante est l'instinct de survie. Celle-ci dépend de réponses naturelles telles que la peur, la douleur ou la fatigue – indicateurs précieux que par une curieuse ironie nous considérons souvent comme des marques de faiblesse. La peur peut être assimilée à la lâcheté, mais sans elle nous nous exposerions aveuglément au feu, aux précipices, à la noyade ou aux agressions.

Dans les centres Allen Carr, nos patients nous disent souvent : « Je suis sur les nerfs. » Comme si la nervosité était une maladie ! Quand une porte claque et vous fait sursauter sur votre chaise, cela signifie que votre système nerveux fonctionne parfaitement. De la même manière, les oiseaux s'envolent au moindre bruit afin d'échapper aux chats.

La douleur et la fatigue ne sont pas non plus des symptômes de maladie, mais de précieuses sonnettes d'alarme. Par le biais de la fatigue, votre corps vous indique qu'il a besoin de repos. La douleur vous prévient qu'une partie de votre organisme est attaquée et que vous devez réagir.

J'ai coutume de dire, en guise de plaisanterie, que j'ai passé ma vie à m'abîmer la gorge, d'abord en fumant comme un sapeur, puis en parlant des heures entières dans mes centres de soins. J'ai pris l'habitude d'anesthésier la douleur avec des collutoires ou des pastilles. Pourtant, l'irritation de la gorge n'était pas un problème, mais un moyen pour mon organisme de me prévenir que je devais accorder un peu de repos à mes cordes vocales, sous peine d'une aggravation. Endormir la douleur plutôt que de guérir ma voix par le silence revenait à coller un sparadrap sur le clignotant du niveau d'huile de ma voiture plutôt que d'en rajouter un peu.

Pendant des années, j'ai cru que mes quintes de toux finiraient par me tuer. Je me rends compte aujourd'hui qu'elles m'ont probablement sauvé la vie.

Il existe tellement de médicaments conçus pour soulager provisoirement la douleur plutôt que pour s'attaquer à sa cause. Quand nous prenons un antalgique, nous affaiblissons notre système immunitaire. En annulant la douleur, nous étouffons la sonnette d'alarme destinée à alerter notre cerveau, qui doit engager la contre-attaque contre la source de cette douleur. En outre, de nombreux médicaments prescrits par le corps médical sont des poisons addictifs contre lesquels nous nous immunisons – de sorte que nous finissons par augmenter les doses dans une tentative désespérée de repousser l'état de manque et de maintenir un semblant de normalité.

En ce qui concerne le tabagisme, la plupart d'entre nous se souviennent du goût affreux de la première cigarette. C'était une alerte lancée par notre organisme : « ATTENTION, POISON ! »

Alors que des animaux moins évolués écouteraient cette mise en garde, l'espèce humaine a subi un lavage de cerveau qui l'amène à l'ignorer. Les fumeurs déjà accros répliquent : « N'écoutez pas vos papilles. Vous vous y accoutumerez. » Mais ce n'est qu'un mensonge.

VOUS VOUS ACCOUTUMEZ À UN GOÛT RÉPUGNANT!

Votre organisme ne vous abandonne pas pour autant. D'autres sonnettes d'alarme se déclenchent : vous commencez à tousser, à ressentir des nausées, et même parfois à vomir. Votre corps fait l'impossible pour vous décourager d'inhaler ces fumées empoisonnées.

Si vous ignorez tous ces avertissements, vous développez une tolérance au poison. Le mécanisme est si sophistiqué qu'à partir du moment où il comprend que vous êtes obligé de continuer à vous empoisonner, votre organisme se débrouille pour vous faire oublier le goût et l'odeur nauséabonds. Un phénomène identique se produit pour les gens qui travaillent dans une porcherie.

Si au contraire votre bon sens vous conduit à interrompre cet empoisonnement systématique, l'extraordinaire machine qui constitue votre corps commence à expulser les toxines accumulées et vous restitue des forces intactes. À condition bien sûr qu'il ne soit pas trop tard !

Puisque cette « machine extraordinaire » se donne autant de mal pour vous mettre en garde contre le tabac, pourquoi continuons-nous à nous empoisonner ?

Nous nous laissons égarer par notre intelligence

La plupart des animaux se fient à leur instinct pour survivre. Le cerveau humain, quant à lui, s'appuie en partie sur l'instinct et en partie sur la déduction. Il est capable de tirer les leçons d'expériences antérieures et de résoudre de nouveaux problèmes grâce à la mémoire, à l'imagination et à l'expérimentation. Non seulement nous pouvons mettre à profit notre propre passé, mais notre aptitude à communiquer et à stocker les informations nous autorise à exploiter les expériences et les idées des générations précédentes et des autres civilisations. Notre intelligence a ainsi acquis une telle prééminence qu'elle a l'arrogance de contester notre instinct.

Autrefois, lorsque ma raison et mon instinct entraient en conflit, j'écoutais ma raison. Aujourd'hui, je me fie systématiquement à mon instinct. Pourquoi ? Parce que la partie instinctive de mon cerveau est cent fois plus intelligente que sa partie consciente.

Combler le vide

Grâce à notre intelligence, nous sommes parvenus à surmonter la nécessité de chasser pour manger, de ramasser du bois, d'entretenir un feu et d'esquiver d'innombrables dangers. Les magasins, les centrales électriques, les cuisinières et les lois s'en chargent à notre place. Aussi avons-nous tendance à mépriser notre instinct au profit de notre intelligence. Les résultats sont spectaculaires : la musique, l'art, la littérature, le sport et la science nous donnent une place à part au sein des êtres vivants. Mais notre intelligence a aussi créé des horreurs qu'aucune créature instinctive n'aurait pu concevoir. Et ce problème commence dès le premier jour.

Le choc de la naissance provoque une recherche désespérée de sécurité – sous la forme de l'amour maternel. Cette vulnérabilité se prolonge durant toute l'enfance, période où nous sommes souvent surprotégés dans un monde virtuel, loin des dures réalités de l'existence.

Nous ne tardons pas à découvrir que le Père Noël et les fées n'existent pas. Nous jetons alors un regard plus critique sur nos parents : nous comprenons que ces piliers qui jusqu'alors soutenaient notre univers ne sont pas aussi indestructibles que nous l'imaginions, et que comme nous ils sont minés par des faiblesses, des fissures et des peurs.

Cette désillusion crée un vide que nous tentons de combler avec des chanteurs, des stars de cinéma, des vedettes de la télé et des sportifs de haut niveau. Notre imagination en fait des dieux vivants et leur attribue des qualités disproportionnées, afin que nous puissions profiter du reflet de leur gloire. Au lieu de devenir des individus complets, forts, sûrs d'eux-mêmes et originaux, nous nous transformons en vulgaires vassaux, en fans, en admirateurs éperdus et terriblement influençables.

Après le nid douillet du foyer, l'école apporte son lot de peurs nouvelles. Déstabilisés, angoissés, nous cherchons des soutiens, de petits remontants. Et notre intelligence nous indique la solution pour laquelle nous sommes programmés depuis notre plus tendre enfance : « Que font les adultes quand ils ont besoin de se remonter le moral ? Ils allument une cigarette ou boivent un verre d'alcool. »

Est-ce si étonnant que les adolescents se tournent vers la cigarette ? N'avons-nous pas fait la même chose ? Notre société programme des générations successives de toxicomanes.

Notre aptitude à transmettre et à absorber les informations a pour pendant une aptitude à transmettre et à absorber les mensonges.

Contrairement à ce qu'on pourrait penser, le défaut du mécanisme n'est pas notre intelligence en soi, mais notre incapacité à l'utiliser à bon escient. C'est un peu comme si un ouvrier d'usine désactivait un dispositif de sécurité sur la chaîne de production afin d'accélérer le rendement. Il espère ainsi augmenter sa prime, mais il ne parvient qu'à réduire la longueur de son bras !

L'INTELLIGENCE CONTRE L'INSTINCT

Lorsque l'intelligence l'emporte sur l'instinct, les modèles de comportement sont faussés. Il faut donc distinguer les réactions instinctives authentiques des réponses automatiques résultant d'hypothèses erronées et de perceptions programmées dans notre cerveau.

La victoire de l'intelligence sur l'instinct entraîne des réflexes qui n'ont rien de naturel : ainsi, nous prenons une aspirine chaque fois que nous avons mal à la tête. La partie instinctive de notre cerveau a été contaminée par des informations mensongères, et celles-ci entrent désormais dans la manière dont nous sommes programmés. Nous ne ressentions pas le moindre besoin de fumer avant de tomber dans le piège de la nicotine, mais une fois pris dans la nasse, nous sommes sans cesse confrontés à des situations qui déclenchent l'envie d'allumer une cigarette. Nous sortons automatiquement notre paquet chaque fois que nous estimons nécessaire de nous détendre, de nous concentrer, de lutter contre l'ennui, d'apaiser notre stress ou de renforcer notre confiance en nous.

Comment faire pour reprogrammer notre cerveau et retrouver la tranquillité d'esprit que nous connaissions à l'époque où nous n'avions jamais ni besoin ni envie de fumer ? Pour l'instant, cela peut vous sembler très difficile, voire impossible, mais je vous promets qu'il s'agit d'un véritable jeu d'enfants ! Il vous suffira de remplacer les réactions fondées sur des informations erronées par des réactions fondées sur des informations véridiques. L'exercice proposé ci-dessous vous montrera à quel point l'entreprise est aisée. Regardez ce dessin, laissez libre cours à votre imagination, et essayez d'en tirer quelque chose.

Si vous ne distinguez que des formes sans aucune signification, éloignez petit à petit la page de vos yeux, et concentrez-vous sur les espaces blancs plutôt que sur les figures noires. Vous verrez alors émerger le mot LIFT.

Si vous rapprochez le livre de votre visage, les lettres demeurent parfaitement lisibles. Pourquoi dans ce cas avez-vous eu du mal à les repérer du premier coup ? Parce que votre intelligence s'efforçait de déchiffrer les figures noires et non les espaces blancs. Elle tentait de reconstituer un puzzle en noir sur fond blanc, et non l'inverse. Pour quelle raison ? Tout simplement parce qu'on vous a appris que le blanc correspond au support et le noir aux informations – ce que confirme d'ailleurs le reste du livre.

À présent, essayez de regarder ce croquis sans distinguer le mot LIFT. Vous n'y arrivez plus, n'est-ce pas ? Votre cerveau est au courant désormais, et vous ne parvenez pas à le tromper. On retrouve le même phénomène chez le fumeur lorsque l'illumination se produit et qu'il découvre enfin la vérité sur le tabac. Comme avec ce dessin en noir et blanc, une fois que vous avez vu la réalité en face, vous ne pouvez plus retourner à l'illusion.

S'il est possible de faire croire au cerveau que la cigarette aide à se détendre, à avoir confiance en soi, à se concentrer, à lutter contre le stress et l'ennui, est-il important que cela soit vrai ou faux ? Bien sûr que c'est important, car les effets du tabac sont en fait diamétralement opposés, et par-dessus le marché il vous assassine à petit feu !

Cela ne serait pas aussi grave si au moins ces illusions rendaient les fumeurs heureux. Mais ils sont malheureux, irritables, rongés par le mépris d'eux-mêmes et par la peur. Voilà pourquoi vous tremblez à l'idée que vos enfants deviennent accros à leur tour. En réalité, non seulement vous ne vous sentez pas mieux grâce au tabac, mais vous vous sentez encore beaucoup plus mal.

Quand vous apaisez un besoin authentique tel que la faim ou la soif, votre état s'améliore et vous éprouvez un vrai plaisir. Alors que le tabac crée une impression artificielle de vide et d'insécurité.

En essayant de combler ce vide, les fumeurs le perpétuent, car ce vide est produit par l'objet même avec lequel ils s'efforcent de le remplir : par la cigarette. Un vide créé par une addiction ne peut être comblé que par la guérison de cette addiction.

Dans les centres Allen Carr, une minorité de patients ne réussissent pas à arrêter de fumer après leur première séance. Certains me disent alors : « J'ai suivi toutes vos instructions. J'ai compris tout ce que vous nous avez expliqué. Je n'ai cessé de me répéter que la cigarette ne m'apportait aucun bienfait. Je n'ai cessé de me répéter que je n'avais plus besoin ni envie de fumer. Alors pourquoi ai-je échoué ? »

• • UN FAIT INDÉNIABLE • •

Chaque fumeur s'expose à un risque très élevé de décès prématuré, lié directement à son tabagisme.

La réponse réside dans cette phrase : « Je n'ai cessé de me répéter. » Pourquoi diable se sentent-ils obligés de se répéter que la cigarette n'a rien à leur offrir et qu'ils n'en ont plus ni besoin ni envie ?

Pour ma part, je ne passe pas mon temps à me répéter que l'héroïne ne m'apportera aucun bienfait, et que je n'en ai ni besoin ni envie. Si ces patients doivent se répéter de telles évidences, c'est parce qu'il subsiste un doute dans leur esprit. Ils n'y croient pas encore complètement. Pour revenir sur le dessin présenté plus haut, ils ont compris que la solution du puzzle réside dans les intervalles blancs, et non dans les figures noires, mais ils n'ont pas encore repéré le mot LIFT.

La connaissance n'est pas toujours suffisante pour déjouer le piège de la nicotine. Il faut aussi comprendre son fonctionnement et assimiler cette vérité fondamentale : la cigarette ne procure ni soutien ni plaisir authentiques. Heureusement pour cette minorité de patients qui échouent lors de la première séance, ils peuvent participer gratuitement à des séances complémentaires, grâce à notre politique de remboursement garanti. La plupart d'entre eux acquièrent la connaissance, la compréhension, mais aussi la foi indispensable pour devenir des non-fumeurs heureux.

Je vais vous expliquer pourquoi le tabac ne vous apporte strictement rien ; pourquoi il ne vous manquera pas le moins du monde ; pourquoi vous profiterez davantage de la vie et résisterez mieux au stress ; et pourquoi il est facile d'arrêter. Vous avez sans doute déjà compris ce que je dis. Mais pour parvenir au succès, vous devez franchir une étape supplémentaire :

VOUS DEVEZ Y CROIRE

UNE HISTOIRE ORDINAIRE

En allumant votre deuxième cigarette, vous vous condamnez à mentir aux autres, mais aussi à vous-même. Vous avez déjà trahi la promesse que tous les jeunes se font consciemment ou inconsciemment : « Je ne serai jamais assez stupide pour devenir accro au tabac. » Tôt ou tard, vous violerez fatalement votre seconde promesse : « Je peux accepter qu'un ami m'en offre une de temps en temps, mais pour rien au monde je n'en achèterai ! »

L'adolescent pense qu'il est impossible de devenir accro avant d'avoir appris à apprécier le goût et l'odeur du tabac. Comme pour toutes les autres drogues, ce sont ses copains qui l'incitent à fumer la première cigarette. Il ne se sent pas coupable d'accepter ce cadeau, car jusqu'ici il n'a rien demandé, et il n'y tient pas vraiment. En fait, il a le sentiment de rendre service à ses amis en fumant avec eux.

Mais l'adolescent parvient vite au stade où il commence à taper ses copains, qui lui répondent évidemment : « Il serait temps que tu ailles en acheter à ton tour. » Celui-ci obéit docilement. Mais agit-il ainsi simplement pour rendre les cigarettes qu'on lui a données, ou bien parce qu'il en a besoin et qu'il n'a pas d'autre solution que d'en acheter lui-même ?

Nous avons parlé du vide créé par le tabagisme. En fait, la cigarette ne fait qu'aggraver un vide préexistant. Depuis le traumatisme de la naissance jusqu'aux incertitudes de l'adolescence, nous sommes très exposés à cette impression de vide et d'insécurité – encore renforcée par les pressions de la vie moderne.

Soumis au lavage de cerveau qui leur serine que le tabac procure un confort et une détente, la plupart des jeunes finissent tôt ou tard par allumer une cigarette. Quand la nicotine s'évapore de leur organisme, le vide s'agrandit. La deuxième cigarette leur fournit une dose de nicotine et réduit le vide. Bien entendu, ils en retirent une sensation de sécurité et de bien-être. Le piège de la nicotine se referme ainsi sur de nouvelles victimes.

Plus le piège est subtil, plus il est redoutable. Songez aux népenthès, ces plantes carnivores qui constituent une des merveilles de la nature. Attirée par le parfum du nectar, une mouche se pose sur le bord de l'urne sans la moindre appréhension. Pourquoi aurait-elle peur ? Ses ailes lui permettent de s'envoler à volonté. Mais le nectar est si délicieux qu'elle n'a aucune envie de s'enfuir. Elle s'aventure de plus en plus profondément dans l'urne, glisse sur ses parois sirupeuses, tente régulièrement de remonter vers la lumière car elle sent la menace tapie au fond dans les ténèbres. Malheureusement, la saveur irrésistible du nectar annihile son instinct de fuite, et il est trop tard lorsque la mouche comprend enfin que la plante est en train de la dévorer, et non l'inverse.

Le piège de la nicotine ressemble au népenthès, mais il est encore plus subtil car il n'a pas besoin d'appât. Contrairement au nectar qui attire la mouche, les premières cigarettes sentent mauvais, de sorte que la victime ne redoute absolument pas l'addiction. « Jamais je ne pourrai devenir accro à un truc pareil », dit-elle en haussant les épaules.

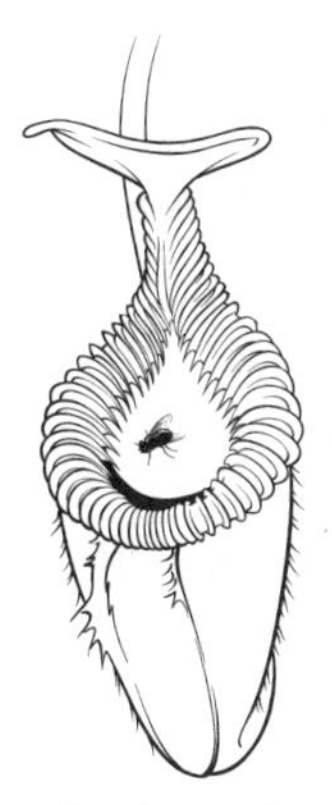

Le népenthès: lorsque la mouche comprend qu'elle est prise au piège, il est trop tard pour fuir. En revanche, il n'est jamais trop tard pour s'échapper du piège de la nicotine.

Mais de même que la mouche prend conscience de ce qui l'attend alors qu'elle a déjà atteint un point de non-retour, de même le fumeur doit attendre d'être pieds et poings liés pour comprendre que le piège de la nicotine s'est refermé sur lui. De nombreux fumeurs passent leur vie entière sans se rendre compte qu'ils sont des drogués. Ils croient contrôler la situation et fumer par plaisir. C'est seulement lorsqu'ils tentent de s'échapper que leurs yeux se dessillent.

Il n'est jamais trop tard pour s'enfuir

Certains fumeurs affirment aimer l'image que leur procure la cigarette : l'allure décontractée d'une star de cinéma. D'autres se considèrent comme de malheureux toxicomanes. Où est l'illusion ? Où est la vérité ? Au fil des années, les fumeurs ne voient plus un reflet gratifiant dans leur miroir, mais le visage pathétique d'un drogué. Aucun d'entre eux ne suit l'évolution inverse.

Une fois que vous admettez votre addiction, les illusions se dissipent. Vous ne vous laissez plus duper par les prétendus bienfaits du tabac, et il devient facile de s'arrêter.

Telle est la seule supériorité du népenthès sur le piège de la nicotine. Lorsque la mouche prend conscience de sa situation, il est trop tard pour s'enfuir. Lorsque vous saisissez le fonctionnement du piège de la nicotine, vous pouvez FACILEMENT VOUS ÉCHAPPER.

L'un des aspects les plus ingénieux du piège de la nicotine est que vous êtes votre propre geôlier. C'est aussi son point faible. La Méthode simple vous offre la clef de votre cellule. Il vous reste uniquement à comprendre comment l'utiliser.

Pour ce faire, vous devez d'abord inverser le processus qui vous a conduit en prison. Comme les idées qui vous maintiennent en esclavage sont des illusions, vous n'avez qu'à les dissiper pour conquérir votre liberté. Il vous suffit de croire cette vérité magnifique :

LE TABAC NE PROCURE NI PLAISIR NI SOUTIEN !

• • UN FAIT INDÉNIABLE • •

L'héroïne tue environ 1000 personnes par an au Royaume-Uni. La nicotine fait plus de 110 000 victimes.

Une fois que vous aurez compris et accepté cette vérité, vous ne ressentirez plus aucun manque. Plus facile à dire qu'à faire ? Certainement pas, à condition de s'engager sur le bon chemin. Écoutez-moi bien : à moins d'être vous-même accro à l'héroïne, l'idée de vous injecter une dose dans les veines vous remplit d'horreur. Alors pourquoi croyez-vous que les héroïnomanes éprouvent un tel désir de se planter une aiguille dans le corps ? Est-ce que vous les enviez ? Bien sûr que non ! Au contraire, ils vous font pitié. Pourquoi portez-vous sur leur toxicomanie un regard si différent du leur ? Les effets de la drogue n'auraient-ils pas complètement déformé leur vision des choses ? Mais les non-fumeurs portent eux aussi un regard très différent sur les fumeurs.

ESSAYEZ DE VOUS VOIR AVEC LES YEUX D'UN NON-FUMEUR

Je me souviens de l'effort que je devais fournir pour me lever le matin à l'époque où je fumais. Je me souviens de cette léthargie déprimante. Je me souviens de cette espèce de duvet noirâtre sur ma langue, de mon souffle court, de mes quintes de toux et des saignements de nez qui s'ensuivaient. Je me vantais de n'avoir jamais de rhume et plaisantais : « Je fume tellement que les microbes ne peuvent pas survivre dans mes poumons. » En réalité, je crachais mes poumons tous les matins, et j'étais tellement congestionné qu'il m'était impossible de savoir si j'avais ou non un rhume. Je me souviens de la tache brune qui maculait ma lèvre supérieure au réveil. J'avais beau la frotter de toutes mes forces, je ne réussissais qu'à la faire virer au rouge. Après une partie de poker qui avait duré toute la nuit, un de mes amis m'a demandé si je me laissais pousser la moustache. Il a été très embarrassé en découvrant, après un examen plus minutieux, qu'il s'agissait d'une tache de nicotine. Inutile de préciser que j'étais encore plus gêné que lui, mais il m'en aurait fallu davantage pour arrêter de fumer.

Je prenais bien garde de garder les lèvres closes en souriant et en riant, car j'avais conscience de mes dents jaunies par la nicotine. J'avais horreur de me rendre chez le dentiste, non pas tant par peur de la douleur que parce que je redoutais un inévitable sermon. Je me souviens du regard inquiet de ma femme et de mes enfants lorsque des quintes de toux particulièrement sévères me secouaient ; de leur angoisse en face d'un mari et d'un père qui se suicidait à petit feu sous leurs yeux ; et de mon propre désespoir à l'idée de leur causer autant de soucis, sans rien pouvoir y faire.

À mon anniversaire et à Noël, je leur disais de ne rien m'offrir : « J'ai déjà tout ce qu'il me faut. » Mais au fond de moi je pensais : « Je gaspille déjà tellement d'argent en cigarettes que je ne mérite aucun cadeau. » J'étais très embarrassé chaque fois que quelqu'un, même un de mes proches, s'approchait à moins d'un mètre. Cette phobie du contact physique n'était pas due à un rejet des autres, mais à l'odeur de tabac qui imprégnait ma peau, mon haleine et mes vêtements. Même dans ma jeunesse, je n'ai jamais pu embrasser une femme sur les lèvres sans me demander si mon haleine la dérangeait.

Je me souviens par-dessus tout du mépris que j'éprouvais pour moi-même du fait de cette dépendance vis-à-vis d'une substance aussi répugnante. Je contrôlais tous les autres aspects de ma vie. Mais j'étais l'esclave de la cigarette, et je ne pouvais pas supporter que les autres le sachent. C'était humiliant. Je m'en voulais aussi de toujours avoir peur de tomber en panne de cigarettes, d'être coincé dans un avion qui devait attendre avant de décoller, ou encore de me retrouver assis à côté d'un non-fumeur.

Tout cela vous rappelle quelque chose ? Essayez de sortir de votre propre corps et de vous observer avec les yeux d'un non-fumeur. Cela vous aidera à dissiper les illusions qui vous maintiennent prisonnier dans le piège de la nicotine.

Vous vous demandez peut-être avec une certaine impatience pourquoi nous nous attardons autant sur les données du problème au lieu d'essayer de le résoudre. C'est un peu comme une école de pilotage : je ne veux pas que vous vous lanciez dans l'aventure avant d'avoir bien compris son fonctionnement.

Une fois que vous aurez identifié l'essence même du piège dans lequel vous êtes tombé, la Méthode simple d'Allen Carr vous fournira un moyen aisé de vous libérer.

> *« Il est remarquable qu'Allen Carr, qui de son propre aveu n'est pas un professionnel des modifications du comportement, ait réussi là où d'innombrables psychologues et psychiatres bardés de diplômes avaient échoué, en élaborant une méthode simple et efficace pour arrêter de fumer. »*
>
> *Dr William Green, chef du département de psychiatrie du Matilda Hospital à Hong Kong.*

Résumé

- Notre esprit et notre corps sont programmés pour obéir à l'instinct de survie.
- Notre intelligence l'emporte parfois sur l'instinct grâce à des informations erronées qui créent des illusions.
- Depuis le jour de notre naissance, nous recherchons le confort et la sécurité.
- Le lavage de cerveau nous fait croire que le tabac nous procure un plaisir et un soutien, et nous conduit ainsi tout droit dans le piège de la nicotine.

- La deuxième cigarette comble le vide créé par la première, produisant ainsi un plaisir et un soulagement illusoires.
- Nous ne prenons conscience d'être tombé dans le piège de la nicotine que lorsque nous essayons de nous échapper.
- Il est facile de s'évader, à condition de savoir comment procéder.

CHAPITRE 4

PREMIERS PAS VERS LA LIBERTÉ

DANS CE CHAPITRE

COMMENT NEUTRALISER LE LAVAGE DE CERVEAU • LE TABAC NE VOUS APPORTE RIEN • LE FACTEUR PEUR • PRENEZ LE TAUREAU PAR LES CORNES • LE BON ÉTAT D'ESPRIT

DÉTRUIRE L'ENVIE DE FUMER

En modifiant votre état d'esprit, vous pouvez annihiler votre envie de fumer : telle est la clef qui fera de vous un non-fumeur heureux pour le restant de vos jours.

Nous devons identifier ce qui cloche dans votre état d'esprit de fumeur, puis faire confiance au raisonnement logique pour balayer le lavage de cerveau auquel vous avez été soumis depuis l'enfance – avant même que vous ne commenciez à fumer.

POURQUOI D'ANCIENS FUMEURS RETOMBENT-ILS DANS LE PIÈGE ?

Un fumeur pris au piège de la nicotine est dans la même situation qu'un homme coincé dans un trou. Lui et moi, nous disposons ensemble des deux éléments nécessaires pour le délivrer : il manifeste un puissant désir de s'échapper, et moi je lui fournis les outils indispensables. Il lui suffit de suivre mes instructions. Cependant, un nouveau problème apparaît dès qu'il sort du trou : il faut s'assurer qu'il n'y retombe jamais.

Chacun sait que les gens accros ne cessent d'arrêter et de recommencer à fumer. Comment les aider à ne pas replonger dans le tabagisme ? Le trou est un piège physique, le tabac un piège mental et donc illusoire. Comme je l'ai démontré au chapitre précédent avec mon dessin en noir et blanc, une fois que vous avez compris un tour de prestidigitation, vous ne vous laisserez plus jamais tromper. Et puis n'oubliez pas que des millions de personnes ne sont jamais tombées dans le piège de la nicotine malgré le lavage de cerveau massif auquel elles ont été soumises.

Cela nous amène à la différence fondamentale entre un fumeur et un non-fumeur. De toute évidence, l'un fume et l'autre pas, mais ce n'est pas suffisant. Personne ne force le fumeur à allumer une cigarette. Il le fait de son plein gré. Le fait qu'une partie de son cerveau s'y oppose, ou qu'il ne comprend pas pourquoi il agit ainsi, ne change rien à l'affaire. La différence fondamentale, c'est que le non-fumeur n'éprouve jamais l'envie de fumer. La Méthode simple d'Allen Carr annule définitivement votre envie de fumer et garantit ainsi votre liberté.

Il ne faut pas oublier que les non-fumeurs ont subi le même lavage de cerveau que les fumeurs. Ils doivent penser plus ou moins consciemment que le tabac procure certains avantages. Mais leur raisonnement n'a pas été vicié par l'addiction à la nicotine, et ils sont encore capables de juger absurde l'idée de s'infliger volontairement la maladie qui tue le plus de gens à la surface de la terre.

La Méthode simple ne demande pas à la raison de vaincre la tentation ; elle supprime la tentation. Si votre envie de fumer persiste, vous subirez les affres de la privation, vous devrez faire appel à votre volonté pour la combattre et vous risquerez par conséquent de retomber dans l'addiction. À l'inverse, nous éliminons définitivement l'envie de fumer, de sorte que vous ne serez pas condamné à passer le restant de vos jours dans un état de manque et de vulnérabilité, et à devoir sans cesse résister à la tentation.

Vous croyez que c'est impossible ? Dans ce cas, votre réaction est due à une vision déformée du tabac. Après tout, les non-fumeurs n'éprouvent aucune envie de fumer, et c'était aussi votre cas avant de devenir accro ; de même, des millions d'anciens fumeurs qui pensaient ne jamais pouvoir se libérer ont bien réussi à s'échapper. Si la Méthode simple d'Allen Carr s'est répandue dans le monde entier, c'est uniquement parce qu'elle transforme de malheureux fumeurs en non-fumeurs épanouis !

« Sa méthode a ceci d'extraordinaire qu'elle supprime votre dépendance à la cigarette pendant que vous continuez à fumer. Je me réjouis de pouvoir affirmer qu'elle a marché pour beaucoup de mes amis et de mes collaborateurs. »

Sir Richard Branson

Que vous apporte le tabac ?

Imaginons que je veuille vous persuader de prendre une drogue. Comme je suis honnête, je dois vous prévenir que ce produit très dangereux ressemble à l'héroïne par bien des aspects. Mais sa vente me rapporte une petite fortune, et je gagnerai encore davantage si je réussis à vous rendre accro. À présent, je vais vous fournir les informations essentielles.

D'abord, les inconvénients. Le pouvoir addictif de cette drogue est très grand, et il y a de fortes chances pour que vous deveniez aussitôt accro et que vous le restiez jusqu'à votre dernier jour. Elle coûte très cher : chaque toxicomane y consacre en moyenne 100 000 euros au cours de son existence. Je vous offrirai la première dose, mais vous devrez payer les suivantes un prix exorbitant. Quelles que soient mes exigences, quelles que soient vos réticences, vous finirez toujours par banquer.

Cette drogue est le plus redoutable de tous les poisons, avec plus de cinq millions de victimes par an. Dès que vous en consommez, vous devenez léthargique, essoufflé et moins résistant à toutes sortes de maladies. Elle entraîne une mauvaise haleine, des dents jaunes, une respiration sifflante, des quintes de toux, un sentiment de honte et de culpabilité. Pis encore, elle ronge peu à peu votre système nerveux, votre courage, votre confiance en vous et votre concentration, si bien que vous en arrivez à vous mépriser d'être devenu l'esclave d'un produit qui vous fait horreur. Hélas ! plus elle vous entraîne au fond du gouffre, plus vous vous sentez dépendant. Et puis, j'allais oublier, elle a aussi un goût épouvantable.

Maintenant, les avantages… Que vous apporte donc cette drogue ? Rien. Absolument rien.

• • UN FAIT INDÉNIABLE • •

Un fumeur dépense en moyenne 100000 euros au cours de son existence. (Estimation fondée sur une consommation de 20 cigarettes par jour.)

CETTE DROGUE NE VOUS FAIT MÊME PAS PLANER !

Alors, vous m'achetez ma came ? Est-ce que j'ai une victime… enfin, un client de plus ? « Certainement pas ! me répondrez-vous. Qui paierait 100 000 euros pour n'obtenir que des souffrances et du malheur ? » Car vous avez bien sûr deviné que cette drogue n'était autre que la nicotine.

UNE TERMINOLOGIE MACABRE

Les formules employées par le corps médical peuvent semer la confusion. Ainsi, l'expression « maladie mortelle » produit un sentiment de fatalité et de désespoir, même si ce type de pathologie peut mettre vingt ans à causer la mort d'un patient. La formule « décès prématuré » n'est pas aussi impressionnante. Pour un fumeur, « décès prématuré » n'induit pas directement l'idée de mourir jeune. Il signifie simplement : « Je ne vivrai pas aussi longtemps que si je n'avais pas fumé, mais ce n'est pas grave. »

Pourquoi les conséquences néfastes que je viens d'énumérer évoquent-elles davantage l'héroïne que la nicotine ? Parce que nous ne nourrissons aucune illusion sur les effets dévastateurs de l'héroïne et sur l'état pitoyable de ses esclaves, et qu'à l'inverse le lavage de cerveau déforme notre vision du tabagisme. Vous devez rectifier cette erreur et comprendre qu'en tant que fumeur, vous êtes tombé dans le même piège que le toxicomane qui s'injecte de l'héroïne dans les veines. Vous aussi, vous êtes happé dans un puits sans fond. Contrairement à la mouche coincée dans l'urne du népenthès, vous pouvez en sortir, mais à condition d'en avoir conscience.

Le mot héroïne fait apparaître dans notre esprit des images affreuses : DÉPENDANCE ! ESCLAVAGE ! MALHEUR ! MISÈRE ! DÉGRADATION ! MORT ! Les médias et la société en général diffusent un message identique. On ne nous montre jamais d'héroïnomanes joyeux et sereins. Alors que le fumeur souriant et bien dans sa peau est une des constantes des publicités pour les marques de cigarettes. Avec le message suivant : si cette personne est radieuse, c'est parce qu'elle fume.

Nous dissiperons les illusions qui encombrent votre cerveau, en particulier cette idée selon laquelle la cigarette vous donnerait du plaisir et de l'assurance en société. Comme dans le cas de l'héroïne, vous regarderez alors la vérité en face. Grâce à votre nouvel état d'esprit, chaque fois que vous penserez à la cigarette, vous n'éprouverez aucune envie, aucun sentiment de privation, mais une joie profonde d'avoir évacué tout désir de fumer.

Le père de Ronald Reagan était alcoolique et fumait trois paquets par jour; il mourut à l'âge de 60 ans. Reagan arrêta de fumer après le décès de son frère, emporté par un cancer de la gorge.

Si vous éprouvez le moindre doute sur la transformation mentale qui vous attend, ou si êtes sceptique quant au pouvoir de la raison face aux croyances les plus solidement enracinées, repassez-vous le film *Douze Hommes en colère*.

Un adolescent est jugé pour le meurtre de son père. Le verdict semble joué d'avance. Il a menacé son père, des témoins l'auraient vu et entendu, il n'a aucun alibi, et on l'a arrêté en possession de l'arme du crime. Le film tourne autour des délibérations du jury et de la série de votes successifs. Lors du premier vote, onze jurés sont convaincus de sa culpabilité, le douzième émet des doutes. Ce dernier, interprété par Henry Fonda, est incapable de formuler un raisonnement logique ; il reconnaît même que les preuves sont accablantes. Mais il y a quelque chose qui cloche : dans cette affaire, le raisonnement contredit l'instinct. Les doutes émis par Fonda amènent un autre juré à mettre en évidence une petite anomalie concernant l'une des pièces à conviction. Ce n'est qu'un détail, mais il entraîne une nouvelle discussion. Le jury reprend alors l'enquête de fond en comble, et à chaque vote, le nombre de jurés persuadés de la culpabilité du jeune homme diminue.

Onze jurés étaient entrés dans la salle de délibération avec la conviction qu'il avait tué son père. Un assassin ! Ils en ressortent tous les douze avec la certitude de son innocence.

Les fumeurs arrivent dans nos centres pleins d'idées préconçues sur le tabac, et plus ou moins au bord de la panique. La plupart sont à l'évidence très nerveux. Beaucoup se demandent ce qui va se passer. Leur esprit est un tourbillon de contradictions :

« J'AIMERAIS ME LIBÉRER, MAIS J'AIME FUMER. »

« LES CIGARETTES SONT EN TRAIN DE ME TUER, MAIS COMMENT M'EN PASSER ? »

« JE PENSE À L'ARGENT QUE JE VAIS ÉCONOMISER, MAIS AUSSI AUX SOUFFRANCES ATROCES DU SEVRAGE. »

« QUEL SOULAGEMENT POUR MA FAMILLE, ET POUR MOI QUELLE FIERTÉ, MAIS AURAI-JE ASSEZ DE VOLONTÉ ? »

« EST-CE QUE J'APPRÉCIERAI ENCORE UN BON REPAS OU UN VERRE AVEC DES AMIS ? »

« PEUT-ON VRAIMENT SE LIBÉRER COMPLÈTEMENT, ET EST-CE LE BON MOMENT ? »

Rien d'étonnant à ce que les fumeurs soient à bout de nerfs. Mais quand ils ressortent de nos centres, leurs perspectives se sont autant modifiées que celles des douze jurés, tandis que leurs doutes et leurs craintes ont été balayés.

« Les fumeurs ressentent l'impression de vide et d'insécurité liée à l'état de manque aussi longtemps qu'ils fument. Un des grands avantages de la liberté retrouvée est d'en être définitivement débarrassé.

La peur

Dans le prochain chapitre, nous examinerons les facteurs qui déclenchent l'envie de fumer et nous dissiperons les illusions qui les sous-tendent. Mais nous devons d'abord nous intéresser au principal allié de la toxicomanie : la PEUR. La peur de ne plus pouvoir profiter d'un bon repas, d'un verre avec des amis, d'une soirée ; la peur de ne plus contrôler son stress, de ne plus pouvoir se concentrer ; la peur de devoir traverser une terrible épreuve pour parvenir à la liberté ; la peur de devoir résister à la tentation pour le restant de ses jours. Dans nos centres, de nombreux patients nous disent : « Je n'avais jamais essayé d'arrêter par crainte de l'échec. » Ce qu'ils redoutent en réalité, c'est le succès.

> *Il paraît que les autruches enfoncent leur tête dans le sable quand la panique les gagne. Les fumeurs, eux, allument une cigarette. Aucune de ces deux réactions n'est une solution. Au contraire, elles ne font qu'aggraver le problème.*

De même que la peur de l'échec peut contribuer au succès, la peur du succès peut conduire à l'échec.

La crainte de l'échec est illogique, puisqu'elle revient à redouter une calamité qui a déjà eu lieu : vous êtes un fumeur ! Vous réussissez peut-être à vous convaincre que vous continuez à fumer par plaisir et que vous contrôlez la situation, mais n'espérez surtout pas tromper les autres. De nos jours, tout le monde sait que les fumeurs sont accros, et que soit ils ne sont pas parvenus à arrêter, soit ils n'ont même pas eu le courage d'essayer. Continuez comme ça, et c'est l'échec garanti.

Vous devriez plutôt songer à tout ce que vous pourriez gagner. À la fierté de votre famille, de vos amis, de vos collègues. À la joie fantastique que vous éprouveriez.

La peur de l'échec peut vous dissuader d'essayer d'arrêter. Mais si vous vous lancez dans l'aventure, elle peut au contraire vous aider à réussir.

Curieusement, la peur du succès est parfois un obstacle encore plus redoutable. Cela peut paraître absurde : qui peut craindre de vaincre son addiction ? Mais comme on vous a seriné que la cigarette procure un soutien dans les moments de stress et qu'il est impossible de profiter de la vie sans elle, la perspective de ne plus jamais pouvoir compter sur elle peut être terrifiante.

Soyons clairs : la panique qui envahit les fumeurs lorsqu'ils envisagent d'arrêter est UN EFFET DE LA NICOTINE. L'un des plus grands bénéfices du sevrage est de ne plus jamais éprouver une telle panique.

Si seulement je pouvais vous téléporter dans le corps et l'esprit qui seront les vôtres trois semaines après votre dernière cigarette, vous vous exclameriez : « Ce sera vraiment aussi formidable ? » Et je ne parle pas seulement de votre santé et de votre énergie retrouvée, mais aussi de votre confiance en vous et de votre courage.

La peur disparaît en même temps que les cigarettes

En ce moment, vous avez du mal à imaginer une existence sans tabac. C'est le cas de la plupart des fumeurs jusqu'à ce qu'ils réussissent à arrêter. Il vous suffit d'OUVRIR VOTRE ESPRIT.

Vous n'aviez pas besoin de cigarettes avant de devenir accro à la nicotine. Il existe des millions de non-fumeurs qui profitent des joies de l'existence, et des millions d'anciens fumeurs qui n'auraient jamais cru recouvrer un jour la liberté : eux aussi possèdent une qualité de vie dont vous avez sans doute perdu jusqu'au souvenir.

Peut-être avez-vous déjà arrêté de fumer pendant des semaines, des mois ou des années, sans que l'envie ne disparaisse. La Méthode simple d'Allen Carr est très différente, CROYEZ-MOI.

C'est la peur de vivre sans cigarettes qui vous pousse à continuer de fumer. Lisez ce livre jusqu'au bout, suivez toutes mes instructions, et je vous promets que vous pourrez contrôler votre stress et profiter de la vie beaucoup plus intensément. Vous prendrez même du plaisir au cours du processus de libération.

UN MESSAGE À TRANSMETTRE

> Après avoir eu la révélation, j'ai ressenti l'obligation d'expliquer à tous les fumeurs qui croisaient mon chemin qu'il était facile d'arrêter et que la vie de non-fumeur était merveilleuse. Ma femme essayait de me retenir, en me disant qu'ils n'avaient nullement l'intention d'arrêter et que j'allais seulement m'attirer des inimitiés. Malgré tout, j'ai continué.
>
> Lorsque mon premier centre est devenu incapable d'accueillir les foules de candidats, je me suis senti coupable, et j'ai écrit *La Méthode simple pour en finir avec la cigarette* afin de la rendre accessible au plus grand nombre. J'ai distribué des exemplaires à tous les fumeurs que je connaissais, en partant du principe que les gens font l'effort de lire un livre écrit par un ami,

même s'il est d'une nullité absolue. Pour mon plus grand bonheur, plusieurs d'entre eux ont lu l'ouvrage et arrêté de fumer. Mais d'autres ont continué, et j'ai appris ensuite avec une certaine irritation qu'ils ne s'étaient même pas donné la peine de l'ouvrir. J'ai été particulièrement vexé de découvrir que mon meilleur ami avait même refilé le bouquin à quelqu'un d'autre !

Je n'ai pas tardé à comprendre que cela n'avait rien à voir avec une quelconque déloyauté. Dans mon enthousiasme, j'avais sous-estimé la terreur qui envahit les fumeurs à la simple idée d'arrêter.

Ce livre est devenu l'un des guides les plus vendus dans le monde. Pourtant, certains lecteurs m'ont reproché de conseiller aux fumeurs de ne pas chercher à arrêter avant d'avoir achevé leur lecture. « À cause de cette instruction, je ne lisais qu'une ligne par jour ! » se plaignaient-ils. Il ne leur avait pas traversé l'esprit que si je leur avais conseillé d'arrêter de fumer dès la première page, ils n'auraient pas lu une ligne de plus !

À présent, nous allons pouvoir commencer à dissiper les craintes, les doutes et les incertitudes qui vous maintiennent prisonnier. Vous devez être tout excité ! Si vous ruminez des idées noires, changez immédiatement d'état d'esprit. Telle est votre DEUXIÈME INSTRUCTION. (Votre première instruction consistait à suivre toutes les instructions.) Vous n'avez strictement rien à perdre. Tous les fumeurs rêvent de se réveiller un beau matin dans la situation que vous connaîtrez à la fin du livre. Vous allez vous évader de prison. Rien ne peut entraver votre fuite. ABANDONNEZ VOS PEURS ET LIBÉREZ-VOUS !

« Cela ne m'a demandé aucune force de volonté. La cigarette ne m'a pas manqué le moins du monde, et tous les jours je remercie Dieu d'être libre. »

Ruby Wax

Résumé

- Regardez la cigarette et les fumeurs tels qu'ils sont.
- Votre addiction à la nicotine n'est pas différente de l'addiction à l'héroïne du toxicomane.
- Le tabac ne comble pas le vide, il le crée.
- Suivez TOUTES les instructions.
- Ouvrez votre esprit.
- La peur de l'échec est illogique. Si vous n'essayez pas, vous avez déjà échoué.
- Chassez vos peurs, et la victoire est au bout du chemin.
- Prenez plaisir à vous libérer.

CHAPITRE 5

UN PLAISIR ILLUSOIRE

DANS CE CHAPITRE

• FUMER EST UNE CORVÉE • HABITUDE OU DÉPENDANCE ? • LIBÉREZ-VOUS DE LA PEUR • LES FUMEURS NE GAGNENT JAMAIS

PLAISIR OU ADDICTION ?

La plus grande illusion consiste à croire que les fumeurs aiment fumer.

Dans les centres Allen Carr, les fumeurs comprennent en général très vite que la cigarette ne leur procure qu'un soulagement temporaire, car c'est elle qui provoque l'état de manque, et que par conséquent le plaisir et le soutien obtenus sont illusoires. Cependant, ils semblent parfois incapables d'appliquer cette découverte à leur propre tabagisme et persistent à penser que le tabac leur apporte une vive satisfaction dans certaines circonstances.

PERSONNE N'A JAMAIS PRIS PLAISIR À FUMER

Cette phrase peut apparaître comme une généralisation hâtive. Les milliards de cigarettes, de cigares et de pipes qui ont été fumés au fil des générations n'auraient donc jamais procuré le moindre plaisir à qui que ce soit ? Cela semble à peine croyable ! Comment le tabac pourrait-il faire illusion à une échelle aussi massive ? Pourtant, C'EST LA STRICTE VÉRITÉ. Personne ne peut apprécier la nicotine sous quelque forme que ce soit, en fumant, en prisant, en chiquant ou en l'absorbant par voie cutanée. Il est essentiel que vous en preniez conscience.

UNE POTION MAGIQUE ?

> Si j'essayais de vous vendre une potion censée favoriser la concentration et la détente, atténuer le stress et l'ennui, flatter le goût et l'odorat, renforcer le sex-appeal, favoriser la minceur et donner de l'assurance en société, écouteriez-vous mon boniment ? Bien sûr que non ! Vous me traiteriez de charlatan. Pourtant, c'est ce que l'industrie du tabac et les fumeurs eux-mêmes prétendent à longueur de journée.

Demandez à n'importe quel fumeur ce qu'il apprécie dans le tabac quand il en est à la moitié d'une cigarette. Il vous répondra en général : « Le goût. » Mais la première fois que nous avons fumé, c'était tellement épouvantable que nous avons tous pensé : « Comment pourrais-je devenir accro à un truc comme ça ? » Alors, pourquoi en allumons-nous une deuxième, puis une troisième ?

Certains fumeurs expliquent qu'ils savaient parfaitement qu'ils devraient persévérer pour s'habituer au goût.

Cela prouve simplement qu'ils étaient déjà accros. Tel est le fonctionnement des poisons addictifs au goût désagréable : vous devenez accro, ce qui vous oblige à vous habituer, ou plus exactement à vous immuniser contre une saveur désagréable.

Naturellement, vous n'avez pas conscience du piège, vous croyez toujours contrôler la situation.

« J'ai lu le livre d'Allen Carr, et ce qu'il y a de formidable, c'est que pendant toute la lecture vous continuez à fumer. Il vous dit quand il faut allumer une cigarette : "Allez-y, les gars !"Et vous répondez : "D'accord." Vous fumez jusqu'à la fin du livre. Ce type est génial ! À la dernière page, il vous dit : "Parfait. Maintenant, allumez votre dernière cigarette." Vous en êtes arrivé au stade où vous n'êtes pas sûr d'en avoir envie. Mais puisque c'est lui qui vous le demande, vous répondez : "D'accord, Allen." Ensuite vous écrasez votre mégot, et l'affaire est réglée. Depuis ce moment je n'ai plus fumé une seule cigarette. »

Ashton Kutcher

De nombreux fumeurs croient apprécier l'odeur du tabac, alors que bien souvent ils ne peuvent supporter les cigarettes des autres – et que les non-fumeurs la trouvent répugnante. Et puis, même si c'était le cas ? J'aime sentir l'arôme des roses, mais je n'ai aucune envie d'en fumer !

Une fois l'instinct dompté, nous développons une tolérance au tabac, et nous associons son goût et son odeur au soulagement du manque nicotinique que nous percevons comme une forme de plaisir. Ainsi se renforce l'illusion.

En outre, le fumeur attache une valeur spéciale à certaines cigarettes fumées dans des circonstances particulières : celle qui accompagne le café matinal, celles qu'on allume à la fin du repas, pendant une pause, après un effort, après l'amour ou en rentrant chez soi le soir... Si ces cigarettes sont considérées comme particulières, c'est parce qu'elles font suite à une période d'abstinence : le Petit Monstre réclame sa dose. Si vous tardez à le satisfaire, il vous rend nerveux et malheureux, et bientôt le Grand Monstre transforme une situation jusque-là très plaisante en affreux cauchemar.

• • UN FAIT INDÉNIABLE • •

La première cigarette du matin a un goût épouvantable et vous fait tousser. Elle ne vous semble si désirable que parce que vous êtes resté sans nicotine pendant toute la nuit, et que satisfaire le Petit Monstre apparaît comme un soulagement. Le vertige qu'il vous arrive de ressentir n'a rien d'enivrant: c'est simplement la réaction de votre organisme au poison.

Les fumeurs considèrent le tabac comme un soutien contre le stress, alors qu'en réalité il est l'une de ses causes majeures. Le sentiment de vide et d'insécurité provoqué par l'état de manque nicotinique ressemble beaucoup au stress ordinaire. Si vous éprouvez une détente en allumant une cigarette, c'est uniquement parce qu'ainsi vous atténuez le stress produit par la disparition de la nicotine contenue dans la cigarette précédente. Les non-fumeurs sont bien entendu épargnés par cette couche supplémentaire de stress, et en souffrent donc moins que les fumeurs.

La nicotine est un poison addictif. Comme notre organisme s'immunise contre elle, nous ne réussissons que partiellement à supprimer la sensation de vide et d'insécurité liée à l'état de manque – que j'appelle parfois la « démangeaison » – de sorte que nous sommes amenés à augmenter la dose. Nous inhalons plus profondément et plus fréquemment la fumée, nous réduisons le délai entre deux cigarettes et nous adoptons des marques plus fortes.

Le graphique présenté ci-dessous illustre l'évolution du bien-être tel que le ressent le fumeur au cours de son existence.

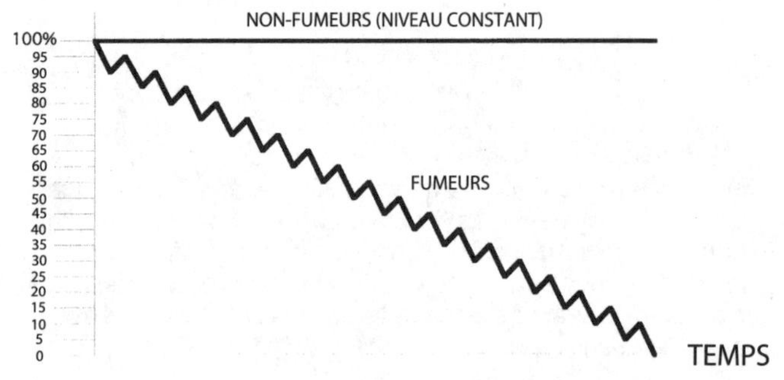

Tout le monde connaît des hauts et des bas dans la vie, tout le monde traverse des périodes de stress et de tensions, mais pour la clarté de l'exposé, nous allons ignorer les aléas de l'existence et nous concentrer sur la manière dont le tabac influence votre degré de bien-être au fil du temps. Partons du principe que ce niveau était de 100 % avant que vous ne deveniez accro. En tant que fumeur, vous vous situez toujours au-dessous de 100 %, c'est-à-dire au-dessous du niveau que vous auriez eu si vous étiez resté non-fumeur ; en effet, vous souffrez en permanence de brefs états de manque, mais vous n'en êtes pas conscient car ils sont presque insignifiants. Disons que le Petit Monstre vous ôte 10 % de bien-être, et que vous en récupérez 5 % chaque fois que vous allumez une cigarette. Malgré ce petit coup de pouce, vous demeurez au-dessous du niveau des non-fumeurs. Vous en concluez peut-être : « Et alors ? C'est toujours agréable de se sentir mieux, même si c'est une illusion. » En réalité, cela revient à mettre des chaussures trop petites pour avoir le plaisir de les enlever : une attitude commune à tous les drogués, tout simplement parce qu'ils ne comprennent pas la nature du piège dans lequel ils sont tombés. Plus le temps passe, plus vous vous enfoncez dans le tabagisme, plus votre bien-être s'étiole, tant sur le plan physique que mental.

Au début, vous ne vous en souciez guère, car vous êtes persuadé de pouvoir vous arrêter si vous le désirez. Mais la descente aux enfers continue, et des choses terribles commencent à se produire. Vous vous sentez léthargique et vite essoufflé. Vous avez une respiration sifflante et de fréquentes quintes de toux. L'ombre du cancer, qui vous semblait si lointaine, plane désormais, de plus en plus en menaçante, dans un recoin de votre cerveau. Vous vous rendez compte que ce n'est plus vous qui décidez ou non de fumer : la cigarette contrôle désormais votre vie quotidienne. Vous dépendez d'elle, et vous dépensez votre argent durement gagné, non pas pour un plaisir ou un soutien authentique, mais pour subir un esclavage et vous exposer à des maladies épouvantables. Votre niveau de bien-être diminue lentement mais sûrement, et le coup de pouce que vous apporte le fait d'allumer une cigarette se réduit dans les mêmes proportions.

La bonne nouvelle, c'est qu'en arrêtant, vous retrouverez rapidement le degré de bien-être que vous auriez connu si vous n'aviez jamais allumé votre première cigarette. L'état de manque nicotinique est facile à surmonter et disparaît très vite ; l'organisme récupère en quelques semaines et, à condition de ne plus considérer la cigarette comme un plaisir ou un soutien, vous n'aurez pas l'impression de faire un sacrifice. Et VOUS SEREZ LIBRE !

Nous devons ignorer nos instincts et nous boucher les yeux pour continuer à fumer. Si vous étiez conscient, chaque fois que vous allumez une cigarette, de son goût et de son odeur répugnants, des 100 000 euros gaspillés, de l'esclavage et du fait que c'est peut-être cette cigarette-là qui va déclencher votre cancer, seriez-vous capable de vous mentir plus longtemps ?

SORTEZ LA TÊTE DU SABLE !

Votre prochaine cigarette déclenchera peut-être l'une des innombrables pathologies que la médecine relie au tabagisme : cancers divers et variés, emphysème, artério-sclérose, maladies cardiaques, asthme et bronchite chroniques, ostéoporose, infarctus, diabète, affections pulmonaires, pneumonie, anévrisme. Si vous fumez cette cigarette-là, qu'est-ce qui vous dissuadera d'allumer la suivante, et encore la suivante ?...

Certains fumeurs expliquent que leur plaisir réside dans le rituel : l'ouverture du paquet, le fait de le tendre aux amis, le maniement de la cigarette, l'allumage, les emballages brillants, les briquets fétiches, les cendriers préférés... Tout cela est absurde. Pratiquons-nous des rituels pour le simple agrément de les pratiquer ? Si c'est le rituel qui les intéresse, pourquoi ne lui apporteraient-ils pas une infime modification, en s'abstenant d'allumer la cigarette ? Ils préserveraient ainsi le plaisir des gestes en évitant les conséquences néfastes : problèmes de santé, saleté, argent gaspillé, léthargie, esclavage, décrépitude, et ainsi de suite.

Comparez ce rituel à celui de la table. Pour certains repas très particuliers, nous nous mettons sur notre trente et un, nous sortons l'argenterie, le service en porcelaine, les verres en cristal et les bougies. Tout cela rehausse les joies de bonne chère, mais vous donneriez-vous autant de mal si vous saviez qu'au bout du compte il n'y aura rien dans les assiettes ?

S'accrocher à l'illusion que le rituel est agréable n'est qu'un écran de fumée : nous cherchons ainsi à justifier ce qui n'est en réalité qu'une addiction crasseuse, répugnante, ruineuse et mortelle.

UNE EXCUSE FACILE

Dans nos centres, certains patients considèrent toujours le tabagisme comme une habitude, même après avoir accepté l'idée qu'ils étaient des drogués à la nicotine. Ils évitent ainsi de devoir s'expliquer. C'est comme si le problème n'était plus de leur responsabilité : le pli est pris, et ils n'y peuvent plus rien.

Il faut absolument que vous compreniez la chose suivante :

LE TABAGISME N'EST PAS UNE HABITUDE,
MAIS UNE ADDICTION

Bien que les deux mots soient souvent employés comme des synonymes, il est essentiel d'établir clairement une distinction entre eux.

Si l'on m'avait enseigné la différence entre habitude et addiction, au lieu de me répéter que la cigarette est malsaine, sale et ruineuse, je crois que je ne serais jamais devenu accro.

Pourquoi la distinction est-elle si importante ? Parce qu'assimiler le tabagisme à une habitude, ne serait-ce que partiellement, revient à dire qu'il procure un plaisir ou un soutien authentique. Sinon, pourquoi aurions-nous pris ce pli ? En outre, on essaye ainsi de nous faire croire qu'il est possible de fumer une cigarette ou un cigare à l'occasion sans devenir accro. Dans les centres Allen Carr, la plupart des patients n'ont besoin que d'une seule séance pour réussir à arrêter. Cependant, des séances complémentaires gratuites sont garanties en cas d'échec. Nous demandons à cette minorité de personnes : « Pourquoi avez-vous allumé une nouvelle cigarette ? » La réponse la plus commune est la suivante : « Je ne sais pas. Sans doute le poids de l'habitude. » Faute de distinguer habitude et addiction, vous ne parviendrez pas à comprendre pleinement la nature du piège, et vous demeurerez vulnérable.

> *« Vous êtes un de ces acharnés qui protègent les buralistes de la faillite, mais vous voudriez balancer à la poubelle cette herbe démoniaque ? Dans ce cas, ce livre est pour vous. »*
>
> OK ! Magazine

On nous a lavé le cerveau pour nous faire croire que le tabagisme est une habitude et qu'il est difficile de rompre avec une habitude. Aucune de ces croyances ne résiste à l'examen. D'une part, le tabagisme n'est pas une habitude, mais une addiction ; d'autre part, il est facile de rompre avec une habitude. Nous prenons certains plis, comme par exemple de faire certains gestes à certains moments, parce que cela nous simplifie l'existence et que nous n'avons en général aucune raison d'y renoncer. Depuis toujours, je me brosse les dents avant de prendre mon bain ou ma douche matinale. Si je voulais rompre avec cette habitude et me brosser les dents après, cela ne me poserait aucun problème. Par conséquent, pourquoi est-il si difficile de rompre avec une habitude salissante, répugnante, qui nous tue à petit feu, qui nous coûte une fortune, et dont nous rêvons d'être débarrassés ? Après tout, personne ne nous force à fumer, il ne s'agit pas d'une réaction nerveuse incontrôlable, nous n'avons aucun examen à passer. La réponse se trouve donc ailleurs :

AVEC UNE HABITUDE, NOUS GARDONS LE CONTRÔLE. AVEC UNE ADDICTION, C'EST LA DROGUE QUI NOUS CONTRÔLE

Heureusement, l'addiction à la nicotine est facile à vaincre à condition d'avoir compris comment le piège fonctionne. De nombreux fumeurs nourrissent l'illusion de consommer des cigarettes par plaisir. S'ils voulaient bien sortir la tête du sable et dresser la liste des avantages et des inconvénients du tabac, leur conclusion serait évidente : « Je suis un idiot. Je dois arrêter immédiatement ! » Voilà pourquoi tous les fumeurs, et soit dit en passant tous les toxicomanes, se sentent stupides instinctivement.

En réalité, ils ne sont pas idiots. Une puissance extérieure vient fausser leurs repères : c'est ce qu'on appelle une ADDICTION. Mais qu'est-ce que ce mot signifie pour nous ? Nous savons seulement qu'une force inconnue nous oblige à agir en dépit du bon sens. Quand vous essayez d'arrêter tout en persistant à penser qu'il s'agit d'une habitude, vous vous dites : « Je ne comprends pas pourquoi je fume. C'est une habitude que j'ai prise, et si j'arrive à tenir le coup assez longtemps sans cigarettes, le temps finira par guérir la blessure et l'envie de fumer par disparaître. » Eh bien, vous vous mettez le doigt dans l'œil !

Vous ne fumez pas par habitude, mais parce que vous êtes tombé dans le piège de la nicotine. Celui-ci est si insidieux que, même si vous avez arrêté depuis des années, votre cerveau se rappelle que les cigarettes lui apportaient un semblant d'aide – et ce souvenir est susceptible de déclencher la tentation d'en allumer une.

À l'inverse, la personne qui a assimilé la Méthode simple d'Allen Carr ne sera jamais tentée de replonger. Je ne veux pas dire qu'elle aura la force de résister à la tentation : elle n'éprouvera plus jamais le désir de fumer.

La puissance qui pousse les toxicomanes à se détruire et à mener une existence misérable, cette puissance que nous nommons addiction, n'est autre que la PEUR ! La peur de ne plus pouvoir profiter de la vie et surmonter les épreuves ; la peur de devoir endurer des souffrances terribles lors du sevrage ; la peur de ne jamais se libérer de l'envie de fumer.

Ce que les fumeurs ne comprennent pas, c'est que, loin de les soulager, la cigarette est à l'origine de ces peurs. Les non-fumeurs ne craignent rien. Malheureusement, le processus est inversé : c'est quand vous ne fumez pas que vous ressentez le vide et l'insécurité liés à la disparition de la nicotine dans l'organisme. Lorsque vous allumez une nouvelle cigarette, celle-ci vous soulage partiellement, et votre cerveau s'imagine qu'elle a un effet bénéfique. Plus vous vous enfoncez dans le piège, plus vous vous illusionnez sur les aspects rassurants de cette drogue, et plus vous devenez accro.

LE DÉSIR DE POISON

L'impression de vide et d'insécurité liée à l'état de manque nicotinique ressemble à la faim. L'un des caractères les plus ingénieux de la faim est qu'elle n'implique aucune souffrance physique. Nous pouvons tenir une journée entière sans manger. Notre estomac proteste, mais ce n'est pas douloureux.

La faim est équipée de deux autres systèmes de sécurité remarquables. D'abord, si un aliment se gâte, vous avez beau être affamé, son odeur et son goût vous dissuadent de le manger. La nature vous avertit ainsi de ne pas y toucher. À l'inverse du tabac, nous obéissons à ces signaux d'alarme : personne n'a jamais eu suffisamment faim pour avaler un œuf pourri ! Le second système nous amène à considérer un rat comme un mets de choix au bout d'un certain nombre de jours de privations. Cette adaptation des préjugés vise à assurer notre survie, de gré ou de force.

La similitude entre la faim et l'état de manque est une des raisons qui nous empêchent de voir le tabagisme sous son vrai jour. Comme nous avons des habitudes alimentaires – des repas à heures fixes ou encore un paquet de cacahuètes avec l'apéritif –, nous en déduisons que l'alimentation est une habitude, et nous établissons un parallèle avec la cigarette. En outre, nous savons très bien que la nourriture est une chose agréable et nécessaire, ce qui renforce l'illusion selon laquelle le tabac comblerait un besoin et procurerait un plaisir. Sinon, pourquoi aurions-nous autant envie de fumer ?

Mais que se passerait-il si vous rompiez avec l'« habitude » de manger ? Vous voyez ! De toute évidence, l'alimentation n'est pas une habitude mais une activité indispensable à la survie. Elle ne prend une allure d'habitude que dans la mesure où nous satisfaisons notre faim à heures dites, avec certains types d'aliments, et selon certains rituels.

En tant que toxicomane, vous désirez un poison. Votre « faim » de nicotine est une envie de poison. L'addiction crée une illusion de besoin. En soi, une envie n'a rien d'agréable, qu'elle concerne un élément utile ou un produit répugnant et nocif. Elle révèle une insatisfaction et un manque. Plus l'envie s'éternise, plus votre sensation de malaise et d'insécurité s'accentue.

Satisfaire la faim procure une impression délicieuse et un plaisir *authentique :* vous savourez chaque bouchée. Au contraire, quand vous essayez de mettre fin à votre état de manque nicotinique, vous n'en retirez aucun plaisir. Vous empoisonnez votre organisme et asphyxiez votre système respiratoire. Vous devez conditionner votre esprit afin de vous immuniser contre une odeur et un goût nauséabonds, et vous n'obtenez aucune satisfaction, puisque la cigarette crée l'envie au lieu de la soulager.

Les fumeurs sont toujours perdants. Quand ils fument, ils rêvent d'arrêter, et c'est seulement quand ils en sont privés que la cigarette prend toute sa valeur à leurs yeux. Ils broient du noir en regrettant un plaisir et un soutien qui n'existent pas.

Je vous demande à présent d'allumer une cigarette et de vous remplir six fois les poumons de cette merveilleuse fumée hautement cancérigène. Alors, qu'est-ce que vous y trouvez de si fabuleux ? Qu'est-ce qui vous plaît autant dans ce poison ?

« J'ai arrêté grâce à un séminaire portant sur la Méthode simple d'Allen Carr. Je voulais me

sentir libre, ne plus être un esclave de la nicotine, qui ne vous apporte aucun plaisir. »

Gianluca Vialli, ancien international et entraîneur de football

Résumé

- Aucun fumeur n'a jamais aimé fumer.
- Le tabac détruit votre qualité de vie.
- Ce n'est pas une habitude, mais une addiction.
- L'addiction crée l'illusion d'un besoin.
- L'envie de nicotine est un désir de poison.
- Loin de détendre, le tabac provoque du stress.
- Dissipez l'illusion du plaisir.

CHAPITRE 6

VOUS N'AVEZ PAS BESOIN DE VOLONTÉ

DANS CE CHAPITRE

• JE N'AI PAS ASSEZ DE VOLONTÉ POUR ARRÊTER • JUSQU'OÙ IRIEZ-VOUS POUR TROUVER DES CIGARETTES ? • PAS BESOIN DE VOLONTÉ

L'ONCLE FRED

Les fumeurs se jugent faibles et stupides parce qu'ils n'ont pas réussi à arrêter. En réalité, ils sont aussi forts et intelligents que les autres, car la réussite du sevrage n'a rien à voir avec la volonté.

Lorsque mes collègues et moi-même allons dans les stations de radio du monde entier pour répondre aux questions des auditeurs, nous tombons souvent sur un casse-pieds très typique que nous surnommons l'oncle Fred. Octogénaire, Fred raconte comment il commencé à fumer pendant la Seconde Guerre mondiale ; comment la cigarette lui a sauvé la vie à l'armée ; comment elle constitue son unique plaisir depuis qu'il touche une modeste retraite. Il évoque le jour terrible où le gouvernement a augmenté la taxe sur le tabac de quelques centimes. Fatigué de se faire manger la laine sur le dos, Fred a alors décidé d'arrêter.

Très fier de lui, il explique que sa volonté l'a emporté après trois mois d'un combat acharné, et qu'il n'a plus allumé une seule cigarette depuis lors. Comme la Méthode simple d'Allen Carr dénie tout rôle à la force de volonté, le témoignage de Fred n'est pas vraiment idéal, d'autant que sa conclusion est toujours la même : « Ne me dites pas que la volonté est inutile. Je sais d'expérience que c'est faux. »

Fred affirme-t-il vraiment que durant des périodes de tension extrême la cigarette lui a sauvé la vie ? Qu'elle a ensuite constitué son unique plaisir ? Et qu'il a arrêté uniquement parce qu'il n'était plus en mesure de payer ? Au cours de son existence, il a pourtant subi de nombreuses hausses du prix du tabac. Tout ce que nous raconte Fred repose sur des erreurs d'appréciation, en particulier la prétendue impossibilité d'arrêter sans volonté. Si vous pensez que votre manque de volonté est l'obstacle principal, c'est parce que vous n'avez pas encore compris la nature du piège dont vous êtes prisonnier.

Demandez-vous si cette faiblesse de caractère se manifeste autrement, ou si elle ne concerne que le tabac. Peut-être avez-vous aussi tendance à trop manger et à trop boire ? Nous verrons plus loin que ce type de problème est probablement lié à votre tabagisme.

Et vous auriez tort de croire que vous êtes devenu accro par manque de volonté ou par stupidité. Il faut beaucoup de volonté pour surmonter l'odeur et le goût nauséabonds des premières cigarettes, ainsi que les quintes de toux et les nausées qui en résultent bien souvent.

Il faut également une forte volonté pour continuer à fumer malgré les interdictions, les avertissements médicaux et les pressions de toutes sortes. N'oubliez pas non plus que cet abus de confiance d'une extrême ingéniosité trompe également des gens très intelligents. Dans votre jeunesse, lesquels de vos amis ont été les premiers à fumer ? N'étaient-ce pas en général les caractères les mieux trempés, les plus dominateurs ? Qui sont les plus grands fumeurs parmi vos connaissances aujourd'hui ? Les qualifieriez-vous de faibles ou de stupides ? Et que dire des vedettes qui vous ont vendu l'image séduisante du fumeur ? Les imbéciles dénués de volonté ne deviennent pas des superstars !

« Des amis qui avaient arrêté de fumer grâce à la Méthode simple d'Allen Carr me conseillèrent de lire son livre. Ce que je fis. Ce fut une telle révélation que je fus libéré sur-le-champ de ma dépendance. Comme mes amis, il me parut non seulement facile, mais incroyablement agréable de m'abstenir de fumer. »

Sir Anthony Hopkins

Parmi les personnes accueillies dans nos centres, les professions médicales viennent en tête de tous les domaines d'activités. Vous pensez que les médecins et les infirmières manquent de volonté ?

Si vous tombiez en panne de cigarettes en pleine nuit, combien de kilomètres seriez-vous prêt à marcher pour trouver un marchand de tabac ? Deux kilomètres ? Quatre kilomètres ? Un fumeur traverserait l'Atlantique à la nage pour un paquet de cigarettes !

La Journée sans tabac, présentée officiellement comme « le jour où tous les fumeurs essayent d'arrêter », est le seul moment de l'année où toute personne ayant un peu d'amour-propre refuserait d'arrêter. C'était mon cas. En fait, beaucoup de gens fument deux fois plus que d'habitude ce jour-là, et encore plus ostensiblement. C'est cela, la force de volonté !

Les personnes qui ont du caractère n'aiment pas qu'on leur dicte ce qu'elles doivent faire ou ne pas faire, surtout quand les conseils émanent de gens qui ne comprennent strictement rien au tabagisme.

LES EFFETS DE LA PANIQUE

> Les fumeurs éprouvent parfois une telle panique à la seule idée du sevrage qu'ils augmentent leur consommation, alors que celle-ci serait restée stable s'ils n'avaient pas essayé d'arrêter. D'autres se couchent tous les soirs en se promettant d'arrêter, avec l'espoir de se réveiller le lendemain matin, soit libérés de l'envie de fumer, soit dotés de la volonté nécessaire pour résister à ce désir. Pendant de longues années, j'ai été l'un d'entre eux. Et, comme eux, dix minutes après m'être levé, j'avais déjà la cigarette au bec.

Vous n'avez besoin de volonté que si vous êtes en proie à un conflit intérieur.

D'un côté, la partie rationnelle de votre cerveau sait que vous devez mettre fin à une addiction qui vous tue à petit feu, qui vous ruine et qui contrôle votre existence. De l'autre côté, la partie dépendante de votre cerveau déclenche un mouvement de panique à l'idée d'être privée d'un plaisir et d'un soutien. Nous allons résoudre ce conflit intérieur en supprimant l'un des deux protagonistes afin que toutes vos réserves de volonté soient rassemblées pour lutter contre le tabagisme. Mais ce n'est pas la volonté qui fera de vous un non-fumeur heureux pour le restant de vos jours : c'est la destruction du besoin et de l'envie de fumer.

La méthode fondée sur la volonté est un calvaire

Quand vous retirez ses bonbons à un enfant, il pique une crise et se rend lui-même très malheureux. Plus il a de volonté, plus il prolonge ses souffrances. Voilà pourquoi, paradoxalement, les fumeurs possédant une grande force de caractère sont ceux qui ont le plus de mal à arrêter avec la méthode fondée sur la volonté.

J'ai tenu bon pendant six mois en utilisant cette méthode, et à la fin j'ai pleuré comme un bébé car une fois de plus j'avais échoué. À l'époque, je ne comprenais pas pourquoi j'éprouvais des sentiments contradictoires. Aujourd'hui, c'est parfaitement limpide dans mon esprit.

J'étais dans la situation du marathonien qui vient de courir 41 kilomètres dans des souffrances terribles. Il est prêt à mourir pour venir à bout du dernier kilomètre. Pourtant, s'il avait ressenti des crampes au début de la course, il aurait sans doute abandonné. J'avais enduré six mois de noire déprime à cause de l'état de manque. Tous les jours je me répétais : « Ce serait idiot d'abandonner maintenant, je dois continuer, l'envie finira bien par s'en aller. »

En fait, la dépression et la privation sapaient peu à peu ma résistance, et devenaient chaque jour plus insupportables. J'étais condamné à craquer. Lorsque cela s'est produit, je m'en suis beaucoup voulu parce que toutes ces souffrances avaient été vaines. Une fois de plus, j'avais échoué. Si seulement j'avais eu la force de tenir un peu plus longtemps, peut-être aurais-je réussi. Voilà pourquoi je pleurais.

Aujourd'hui je me rends compte que plus la privation s'éternise, plus la cigarette semble désirable. Si j'avais eu davantage de volonté, je ne serais parvenu qu'à prolonger le supplice. Et l'issue aurait été identique. La méthode fondée sur la volonté est un véritable calvaire dont on ignore quand il se terminera. Tant que vous aurez envie de fumer, vous n'aurez aucun répit.

Résumé

- Les fumeurs ont autant de volonté et d'intelligence que les non-fumeurs.
- Les fumeurs sont prêts à tout pour se procurer des cigarettes.
- La méthode fondée sur la volonté est un véritable calvaire.
- Tant que vous aurez envie de fumer, ce calvaire continuera.
- Il suffit de résoudre le conflit intérieur pour conquérir sa liberté.

CHAPITRE 7

JE NE REGRETTE RIEN !

DANS CE CHAPITRE

- *NOUVEAUX CONVERTIS ET PLEURNICHEURS*
- *LES MILLIONS DE NON-FUMEURS HEUREUX*
- *LE BONHEUR D'ÊTRE LIBRE*

VOUS NE RENONCEZ À RIEN

Vous ne consentez aucun sacrifice puisque ni le plaisir ni le soutien ne sont authentiques.

La méthode fondée sur la volonté crée l'illusion qu'il est difficile d'arrêter. Rien n'est plus efficace pour répandre cette illusion que les anciens fumeurs qui y ont eu recours pour se sevrer et qui consacrent le reste de leur existence à lutter contre la tentation. Ils appartiennent à deux catégories distinctes : les Nouveaux Convertis et les Pleurnicheurs. Mais les uns comme les autres adorent maintenir les fumeurs au fond du piège.

Les Nouveaux Convertis

Ils sont faciles à repérer : à peine ont-ils écrasé ce qu'ils espèrent être leur dernière cigarette qu'ils accrochent des panneaux d'interdiction de fumer dans leur maison, leur voiture et leur bureau. Ils invitent des fumeurs chez eux dans le seul but de les priver de cigarettes – et de se vanter.

Les Nouveaux Convertis ne rechignent jamais à vous rappeler que vous ruinez votre santé et votre compte en banque, et qu'ils n'arrivent pas à comprendre comment quelqu'un d'aussi intelligent que vous persiste à se fourrer des trucs aussi répugnants dans la bouche et à les allumer avec un briquet... À croire qu'ils ont oublié qu'ils faisaient exactement la même chose auparavant ! Les anciens fumeurs qui ont arrêté grâce à leur force de volonté critiquent les fumeurs avec beaucoup plus de férocité que les gens qui n'ont jamais touché au tabac. Et cela pour une raison bien simple : derrière leurs fanfaronnades, ils n'ont pas totalement éradiqué leur addiction.

De fait, les Nouveaux Convertis sont toujours persuadés d'avoir consenti un grand sacrifice. Ils exercent une influence négative sur les fumeurs, car, en s'efforçant de répondre à leurs piques incessantes, ceux-ci perdent de vue le véritable ennemi. Et surtout ils consolident un préjugé : « Fumeur un jour, fumeur toujours. Vous aurez beau arrêter la cigarette, vous ne serez jamais complètement libre. »

Les fumeurs soupçonnent à juste titre les Nouveaux Convertis d'être aussi agressifs parce qu'ils ont toujours envie de fumer. Une vérité confirmée par les Pleurnicheurs.

Les Pleurnicheurs

Eux aussi sont aisés à identifier : le soir du Réveillon, lorsque vous souhaitez une bonne année à vos amis et que vous jetez dans la cheminée votre paquet de cigarettes avec le sentiment merveilleux d'avoir enfin exorcisé votre démon intime, ce sont eux qui viennent vous serrer la main, vous souhaiter bonne chance, énumérer les bénéfices que vous allez tirer de cette bonne décision... avant de vous raconter qu'ils ont arrêté depuis des années, mais que la cigarette leur manque toujours terriblement dans les occasions comme celle-ci.

L'effet est dévastateur. Vous vous brûlez les doigts en essayant de récupérer votre paquet dans le feu, et pendant que les autres font la fête, vous mendiez une cigarette en répétant à qui veut l'entendre que vous n'avez pas promis d'arrêter tout de suite, mais le lendemain matin au réveil.

Si vous avez déjà eu recours à la méthode fondée sur la volonté, vous connaissez sans doute l'énorme soulagement que l'on ressent lorsque l'on se résout enfin à abandonner toute résistance. Mais jamais vous n'avez pensé : « Formidable ! Je suis de nouveau un fumeur. Cette cigarette a une saveur absolument divine ! » Au contraire, votre soulagement est gâché par un sentiment d'échec et par un mauvais pressentiment pour l'avenir. Quant à votre première cigarette, elle est toujours décevante, et elle a le même goût que la toute première que vous avez allumée jadis : elle est répugnante.

Quand on l'a attendue des mois ou des années, il est évident qu'une cigarette procure un intense soulagement, mais elle n'en devient pas savoureuse pour autant. Ne croyez jamais les fumeurs qui viennent de replonger quand ils vous décrivent le parfum enivrant de leur première cigarette. Tous les toxicomanes sont des menteurs.

Le bonheur des non-fumeurs

Vous serez bientôt un non-fumeur. Peut-être avez-vous peur de ne jamais vous libérer totalement de votre addiction, et de devenir un Nouveau Converti ou un Pleurnicheur. Laissez-moi vous rassurer : vous n'avez rien à craindre. Vous êtes entouré de non-fumeurs heureux de leur sort. Grâce à la Méthode simple d'Allen Carr, des millions de personnes ont grossi leurs rangs. Mais vous ne leur prêtez guère attention parce qu'ils sont discrets sur la question du tabagisme.

À l'époque où j'essayais d'arrêter, je me suis aperçu que je ne demandais jamais aux anciens fumeurs si la cigarette leur manquait. Tout simplement parce que je ne souhaitais pas connaître la réponse, quelle qu'elle soit. Si elle leur manquait, cela renforcerait mon idée que je ne serais jamais complètement libéré. Dans le cas contraire, cela signifierait que j'allais devoir encore supporter des mois, voire des années de torture pour accéder à la liberté. C'est un exemple typique de la manière dont les fumeurs se renferment sur leur conflit intérieur.

Je connaissais un type prénommé Patrick, un Irlandais gigantesque et très sympathique. Nous nous rencontrions une fois par an avec des amis commun sur un champ de course. Une quinte de toux venait de me faire cracher mes poumons, et Patrick m'observait avec cet air effaré qu'ont souvent les non-fumeurs devant un spectacle aussi lamentable. Pour dissimuler mon embarras, je lui ai dit : « Patrick, tu ne sais pas la chance que tu as de n'avoir jamais fumé. » Et il a répliqué : « Qu'est-ce que tu racontes ? J'en étais à deux paquets par jour ! »

Je n'en croyais pas mes oreilles. Je le connaissais depuis cinq ans, et jamais je ne l'aurais imaginé dans la peau d'un fumeur, sans doute parce qu'il n'était ni un Nouveau Converti ni un Pleurnicheur. Quand je lui ai demandé si cela lui manquait, sa réponse a été pour moi une révélation : « Est-ce que je regrette mes cigarettes ? Tu plaisantes ? »

Patrick a été le premier non-fumeur heureux à croiser mon chemin, et il a joué pour moi un rôle crucial sur le chemin de la vérité. Je me suis mis à interroger d'autres amis, certains de longue date. Beaucoup d'entre eux, dont j'avais toujours cru qu'ils n'avaient jamais fumé, avaient en fait arrêté et n'éprouvaient aucune envie de recommencer. Comme Patrick, ils étaient difficiles à repérer, parce que les cigarettes ne leur manquaient absolument pas, et qu'ils ne présentaient donc pas les travers des Nouveaux Convertis ou des Pleurnicheurs. Patrick et ses semblables ne passent pas leur temps à vanter les avantages d'une vie sans tabac. C'est d'ailleurs dommage, car tout le monde saurait que des millions d'anciens fumeurs ont réussi à s'échapper définitivement du piège.

Vous serez d'ici peu un nouveau Patrick : dans les jours qui suivront votre dernière cigarette, il vous suffira de penser à lui pour vous rappeler à quel point c'est formidable d'être libre.

DES VICTOIRES PAR MILLIERS

Allez sur le site www.allencarr.com, et vous y trouverez des milliers de messages envoyés du monde entier par des non-fumeurs heureux. Ils ont arrêté grâce à la Méthode simple et jouissent aujourd'hui d'une totale liberté. Bientôt, ce sera votre tour d'envoyer un message de victoire.

Résumé

- Arrêter de fumer n'est pas un sacrifice.
- Ne vous laissez pas décourager par les Nouveaux Convertis ou par les Pleurnicheurs : ils ont arrêté de fumer avec une mauvaise méthode.
- Vous rejoindrez d'ici peu les millions de non-fumeurs qui croyaient ne jamais y arriver.
- Avec la Méthode simple d'Allen Carr, vous allez accéder à une liberté totale.

CHAPITRE 8

LA PERSONNALITÉ ADDICTIVE

DANS CE CHAPITRE

• LA PERSONNALITÉ ADDICTIVE N'EXISTE PAS • VOUS N'AVEZ PAS BESOIN DE NICOTINE • C'EST LA DROGUE QUI VOUS REND ACCRO

UNE ERREUR FONDAMENTALE

La théorie de la « personnalité addictive » fournit un prétexte aux fumeurs pour ne pas même essayer d'arrêter, et elle se fonde sur une idée fausse.

De nombreux fumeurs pensent que leurs difficultés à arrêter viennent de leur patrimoine génétique ou d'une sorte de « chimie » qui les prédisposerait à l'addiction. L'expression « personnalité addictive » semble se référer à une vérité largement reconnue, alors qu'il s'agit d'une invention concoctée par des gens qui ne comprennent rien à l'addiction. Elle conduit beaucoup de fumeurs à s'imaginer qu'ils se lancent dans une mission impossible quand ils s'efforcent d'arrêter.

Une impression renforcée par leurs précédents échecs et par le fait que les alcooliques et les héroïnomanes ont tendance à être aussi des fumeurs invétérés.

Les Pleurnicheurs vont dans le même sens en défendant la théorie du « fumeur alcoolique » et de la personnalité addictive. Après tout, si quelqu'un a toujours envie de fumer après plusieurs années d'abstention, cette personne n'est à l'évidence plus concernée par les effets physiques de l'état de manque ; la seule explication possible est donc un défaut d'ordre chimique dans sa constitution.

C'est complètement faux ! Ne vous laissez pas tromper par les études qui paraissent établir un lien entre le patrimoine génétique et l'addiction. En effet, les travaux de ce genre présentent des conclusions qui mènent tout droit à l'impasse.

La théorie de la « personnalité addictive » n'est qu'une échappatoire : « Ce n'est pas ma faute. Je n'y peux rien ! Je suis prédisposé à l'addiction. »

Vous pensez peut-être que j'accuse ces personnes de se mentir à elles-mêmes et à leur famille. Ce n'est pas le cas. Cette illusion résulte de la mauvaise interprétation de faits contradictoires, de la désinformation et de l'ignorance très répandue à propos du tabagisme et de l'addiction. Je ne cherche pas à rabaisser les fumeurs, et pour cause : personne n'est descendu aussi bas que moi dans le piège de la cigarette. Mais la personnalité addictive et le fumeur invétéré sont de pures inventions. Quelle que soit votre opinion sur ce sujet, je vous fais la promesse suivante :

VOUS ÉPROUVEREZ UN SENTIMENT DE PLÉNITUDE... SANS NICOTINE !

LE MONDE VU À TRAVERS UN NUAGE DE FUMÉE

Si j'étais convaincu d'avoir une personnalité addictive, c'est parce que les fumeurs me semblaient appartenir à une race différente des non-fumeurs. Nous avons tous tendance à diviser le monde entre le noir et le blanc, l'Orient et l'Occident, les riches et les pauvres.

À mes yeux, ces lignes de fracture étaient insignifiantes. Le seul fossé notable séparait les fumeurs des non-fumeurs. Peu importe si ces derniers ressemblaient à Mère Teresa, à Hitler ou à un Eskimo, je pouvais communiquer avec eux. Les fumeurs étaient des gens intéressants, et non de sinistres rabat-joie comme les non-fumeurs. Ou bien devais-je avouer que je me sentais mieux en leur compagnie ? Je pouvais polluer l'atmosphère à ma guise, sans éprouver de culpabilité. Je pouvais tousser et postillonner sans la moindre gêne. C'est seulement après avoir arrêté que je me suis rendu compte que la plupart de mes amis ne fumaient pas. À commencer par ma femme qui n'a jamais allumé une cigarette de sa vie !

Les symptômes de l'empoisonnement

La théorie de la personnalité addictive est renforcée par le fait que les fumeurs partagent certaines caractéristiques physiques : le teint grisâtre, le regard terne, la léthargie, la peau sèche, le visage ridé. Nous sommes naturellement tentés de nous rapprocher des gens avec lesquels nous avons des points communs, car les faiblesses créent des affinités. Mais comment en sommes-nous arrivés là ? Sommes-nous nés ainsi ? Bien sûr que non ! Ces traits distinctifs découlent directement du tabagisme et de l'empoisonnement systématique de l'organisme. Heureusement, après avoir arrêté, vous retrouverez vite votre santé physique et mentale.

Alors, est-ce la drogue qui rend accro, ou bien une prédisposition naturelle ? Dans les années 1940, plus de 80 %

des Britanniques adultes de sexe masculin étaient accros à la nicotine ; ils sont aujourd'hui moins de 25 %. Cela signifie-t-il que plus des trois quarts des Britanniques avaient une personnalité addictive autrefois, contre moins d'un quart actuellement ? Bien sûr que non ! Aviez-vous besoin de fumer avant d'allumer votre première cigarette ? Bien sûr que non ! Serez-vous encore accro une fois que vous aurez arrêté ? Bien sûr que non ! Surtout si vous vous libérez grâce à la Méthode simple d'Allen Carr.

Lorsque vous fumez votre première cigarette, vous vous tenez en équilibre sur le rebord de la fleur de népenthès. Avec la deuxième, vous descendez imperceptiblement sur la paroi glissante. Certaines personnes s'enfoncent dans le piège avec une telle lenteur qu'elles ne prennent jamais conscience d'être prisonnières. D'autres y plongent la tête la première et se mettent à fumer à la chaîne presque du jour au lendemain. Le rythme de la descente aux enfers varie pour chaque individu en fonction d'innombrables facteurs, mais la personnalité dépendante ne joue aucun rôle dans l'affaire !

UNE PENTE SAVONNEUSE

Certains fumeurs paraissent plus accros que d'autres. Moi par exemple : j'ai fumé entre 60 et 100 cigarettes par jour pendant 33 ans, j'étais incapable d'accomplir la moindre activité mentale ou physique sans en allumer une, et j'étais convaincu de ne jamais pouvoir arrêter. Trois raisons principales ont fait de moi un fumeur à la chaîne presque du jour au lendemain : des poumons costauds, capables de résister au poison ; des moyens financiers suffisants ; la possibilité de fumer pendant mon travail. Tels sont les trois facteurs qui conditionnent le rythme auquel nous glissons sur la pente savonneuse. À l'époque, il ne m'a jamais traversé l'esprit que certaines personnes devaient limiter leur consommation à une dizaine de cigarettes quotidiennes à cause d'une faiblesse de constitution, du manque d'argent ou de l'interdiction de fumer sur leur lieu de travail.

Personne ne se met à fumer parce qu'il a une personnalité addictive. Quand vous tombez dans l'addiction, c'est parce qu'une drogue vous a rendu accro. Les drogues vous amènent à croire que vous dépendez d'elles et qu'il y a chez vous une faiblesse naturelle. Voilà ce que la nicotine m'a mis dans le crâne pendant 33 ans.

Aujourd'hui, j'ai l'avantage d'être sorti du piège et d'être en mesure de comparer ma situation avant et après. Croyez-moi, c'est le jour et la nuit. La liberté reconquise présente entre autres l'avantage de ne plus éprouver cette sensation de vide et d'insécurité que la plupart des fumeurs considèrent comme une faiblesse génétique, et qui est en réalité un effet de la cigarette. Vous aussi vous possédez un grand avantage : l'intelligence et le bon sens nécessaires pour reconnaître que j'ai raison.

Croyez-vous sincèrement être né avec une prédisposition à l'addiction ? Dans ce cas, pourquoi le tabac n'a-t-il envahi notre mode de vie qu'au cours du XXe siècle, lorsque la production massive de cigarettes et les techniques modernes de communication ont permis un lavage de cerveau à l'échelle internationale ? Pensez-vous vraiment que le tabac soit indispensable à votre bonheur ou à votre survie ? Si telle est votre opinion, pourquoi n'aviez-vous aucun besoin de nicotine avant de commencer à fumer ?

VOUS NE DEVENEZ PAS ACCRO
À CAUSE DE VOTRE PERSONNALITÉ
OU DE VOTRE PATRIMOINE GÉNÉTIQUE,
MAIS À CAUSE DE LA DROGUE

Résumé

- La personnalité addictive et le fumeur invétéré n'existent pas.
- La Méthode simple d'Allen Carr marche avec tous les fumeurs.
- Les fumeurs se ressemblent parce qu'ils partagent les mêmes faiblesses dues au tabagisme.
- C'est la drogue qui vous rend accro, pas votre personnalité.
- Vous n'aviez pas besoin de cigarettes avant de commencer à fumer.
- Vous n'en aurez plus besoin une fois libre.

CHAPITRE 9

TÊTE EN L'AIR

DANS CE CHAPITRE

• LES CIGARETTES NE VOUS AIDENT PAS À VOUS CONCENTRER • LES MÉCANISMES DE LA CONCENTRATION • LA DÉMANGEAISON QUI DISTRAIT • CHANGER D'ÉTAT D'ESPRIT • DISSIPER LES DOUTES

La logique de l'addiction

Il vous est impossible de vous concentrer sans une cigarette ? En réalité, vous êtes distrait par votre addiction à la nicotine.

Combien de fois avez-vous entendu un fumeur dire qu'il était incapable de se concentrer sans une cigarette ? Lors de mes innombrables tentatives de sevrage par la volonté, j'arrivais à supporter mes accès de mauvaise humeur et mon irritabilité. En fait, je retirais un plaisir masochiste du martyre que je m'imposais. Mais j'étais convaincu qu'en cas de succès, je ne pourrais plus accéder au degré de concentration nécessaire dans mon travail, et c'est ce qui chaque fois causait ma perte.

Mon cerveau me rapportait un salaire confortable, et je nourrissais l'illusion que celui-ci était incapable de fonctionner sans sa petite « béquille ». Une fois, j'ai même hésité à demander à mon patron de m'épargner toutes les tâches exigeant une grande concentration pendant un mois ou deux, afin de me donner une chance d'arrêter de fumer. Et puis j'ai décidé de me passer de son autorisation.

Malheureusement, je ne pouvais pas éviter la préparation de la paye mensuelle, une affaire de dix minutes. J'ai passé un mois à me tourner les pouces derrière mon bureau. J'essayais régulièrement de préparer la paye, mais à chaque tentative mon esprit était distrait, et je finissais par abandonner. Jusqu'au jour où il est devenu impossible de repousser la corvée. Je suis resté deux heures les yeux fixés sur la feuille de papier, en proie à la panique. Les digues ont lâché et je suis allé acheter dix cigarettes en catimini. De retour au bureau, j'ai accompli mon travail en un temps record ! Ma conviction s'en trouvait confirmée : le tabac était indispensable à la concentration. Pourtant, c'était bien mon obsession qui m'avait empêché de me concentrer.

QUE SE PASSE-T-IL DANS LA TÊTE D'UN FUMEUR ?

Quand vous voulez vous concentrer, vous commencez par chasser ce qui est susceptible de vous distraire. Parmi ces influences extérieures, il y a bien sûr l'envie de fumer. Néanmoins, vous avez plus de mal à vous concentrer qu'un non-fumeur pour différentes raisons : le non-fumeur n'est jamais distrait par l'envie d'une cigarette ; en fumant, vous ne soulagez que partiellement les symptômes de l'état de manque ; vous privez votre cerveau d'oxygène ; vous devez sortir votre cigarette du paquet, l'allumer, avaler la fumée, l'exhaler, faire tomber la cendre dans le cendrier, écraser votre mégot, vider le cendrier, allumer une nouvelle cigarette, et répéter la manœuvre à l'infini. N'est-il pas incroyable que vous réussissiez à vous concentrer sur autre chose ?

Au pied du mur

Au terme de trois années d'études de comptabilité, j'avais appris avec stupeur qu'il était interdit de fumer pendant l'examen. J'avais ingurgité je ne sais combien de manuels terriblement rasoirs, tout ça pour échouer sur le poteau parce que personne ne m'avait prévenu que les cigarettes étaient bannies pendant les épreuves. Au lieu de renoncer, j'ai décidé de profiter de l'occasion pour voir combien de temps je pouvais tenir sans fumer. Je me suis procuré les sujets de l'année précédente, et j'ai tenté l'expérience. Ma main tremblait si fort que je n'arrivais même pas à écrire. Jamais je ne serais capable de me concentrer sans cigarettes.

Mais quand le grand jour est arrivé, l'envie de fumer ne m'a pas traversé l'esprit. Durant les trois heures les plus harassantes de ma vie, je n'ai pas pensé une seule seconde aux cigarettes, et j'ai été reçu sans problème. Bien que l'illusion se soit prolongée par la suite, c'était la preuve aveuglante que j'étais capable de me concentrer sans tabac.

Oublions un instant les cigarettes, et intéressons-nous aux mécanismes de la concentration. Avant tout, vous devez éliminer les sources éventuelles de distraction. Si quelqu'un fait du bruit, vous lui demandez d'arrêter, ou bien vous allez vous installer ailleurs. Mais admettons que vous soyez enrhumé et que vous passiez votre temps à renifler. Comme vous n'y pouvez rien, vous vous contentez de chasser cette distraction de votre esprit et vous vous concentrez sur votre travail. Il existe donc deux types de réaction différents : si vous êtes en mesure d'éliminer un élément gênant, vous devez le faire, faute de quoi votre énervement augmenterait, au point de créer une nouvelle source de distraction qui risquerait de devenir paralysante ; en revanche, si vous ne pouvez pas l'éliminer, vous avez intérêt à l'ignorer.

Quand vous avez un trou de mémoire, vous suffit-il d'allumer une cigarette pour qu'il s'évacue comme par miracle ? Cela signifierait qu'on n'a jamais de trou de mémoire quand on fume, ce qui est manifestement absurde. En réalité, vous réagissez exactement comme les non-fumeurs : vous vous creusez la cervelle jusqu'à ce que la lumière se fasse !

Les cigarettes et l'ennui

Les cigarettes ne soulagent pas de l'ennui. Quand votre esprit est occupé ailleurs, vous pouvez rester de longues périodes sans fumer et même sans vous en rendre compte. À l'inverse, quand vous vous ennuyez, rien ne vous distrait de la légère démangeaison produite par le Petit Monstre de la nicotine, et vous êtes tenté de vous gratter. Ce qui ne chasse pas l'ennui pour autant.

Pour combattre l'ennui, il faut fixer son esprit sur quelque chose d'intéressant, et la cigarette n'a rien de fascinant. Quand vous fumez, vous ne vous répétez pas : « Cette cigarette est vraiment fabuleuse ! » Il existe peu d'activités plus ennuyeuses que de fumer cigarette sur cigarette, tous les jours de la semaine, ce que j'ai fait pendant plus de 30 ans. C'est tellement monotone que la plupart du temps nous n'en avons même pas conscience. Observez les fumeurs dans leur voiture la prochaine fois que vous serez coincé dans un bouchon : ils ont l'air de se raser au moins autant que les autres automobilistes. Regardez les gens fumer sur le trottoir, devant l'entrée de leur entreprise. Vous semblent-ils dynamiques et épanouis ? Non, ils se morfondent lamentablement.

Les fumeurs ont tendance à fuir les activités qui exigent de l'énergie ; plus ils fument, plus ils ont l'air las. En effet, le tabac engendre l'ennui en vous rendant amorphe, paresseux, léthargique, et en sapant votre appétit de vivre.

La cigarette détruit votre concentration

Lorsque j'ai arrêté de fumer pour de bon, je n'ai éprouvé aucune difficulté de concentration, ni aucun des symptômes déplaisants que j'avais subis lors de mes tentatives précédentes. Alors, pourquoi les fumeurs qui essayent d'arrêter par la force de la volonté ont-ils du mal à se concentrer ? Vous pourriez accuser les effets physiques de l'état de manque, mais ceux-ci sont infimes, presque imperceptibles. Le cerveau des fumeurs est programmé pour croire qu'il leur suffit d'allumer une cigarette chaque fois qu'ils sont confrontés à un blocage intellectuel. Or, le problème vient justement de cette idée fausse. Le travail de dix minutes que je ne pouvais accomplir sans une cigarette n'était pas d'une extraordinaire complexité. Mais j'étais SINCÈREMENT PERSUADÉ que le tabac m'aidait à me concentrer, et c'était cette conviction qui m'empêchait de me concentrer.

Si vous rencontrez un blocage alors que vous vous efforcez de ne pas fumer, et si vous pensez qu'une cigarette résoudrait le problème, vous êtes distrait par cette idée et donc incapable de vous concentrer sur votre travail. Finalement, vous êtes tenté d'allumer une cigarette, juste pour voir ce qui se passera. Au moment où vous cédez, votre cerveau n'est plus distrait par la question de savoir si oui ou non vous devriez allumer une cigarette ; vous résolvez donc votre problème et cela renforce l'illusion selon laquelle le tabac favoriserait la concentration.

À l'inverse, si vous résistez à la tentation, le doute persiste et continue à vous distraire, de sorte que vous êtes incapable de vous concentrer ! La cigarette sort donc gagnante une fois de plus, tant l'addiction à la nicotine est un piège ingénieux. Mais je vous le répète : loin de favoriser la concentration, la cigarette est un facteur de distraction, et une fois que vous aurez compris la nature du piège, vous en sortirez facilement.

Comment pouvons-nous nous protéger contre ces éléments déclencheurs qui viennent saborder nos bonnes résolutions, non seulement dans les jours qui suivent notre dernière cigarette, mais aussi durant toute notre vie ultérieure ?

LES ÉLÉMENTS DÉCLENCHEURS PERDENT TOUTE EFFICACITÉ DÈS L'INSTANT OÙ VOUS COMPRENEZ COMMENT ILS FONCTIONNENT

Cela ne sert à rien de fuir la tentation. N'oubliez jamais que la Méthode simple d'Allen Carr vise à modifier votre état d'esprit. Pourquoi étais-je incapable d'écrire et de me concentrer pendant ma préparation à l'examen, alors que je n'ai pas eu un seul instant envie de fumer pendant l'épreuve véritable ? Tout simplement parce que je n'avais pas le choix. Je *savais* qu'il était interdit de fumer. C'est la même chose aujourd'hui dans les avions et dans les trains. Même les fumeurs à la chaîne peuvent se passer de tabac pendant des heures si on ne leur laisse pas le choix. Mais en dehors de ces contraintes officielles, ils deviennent fous si quelqu'un leur demande de ne pas fumer. Cela montre bien que le problème réside dans les aspects psychologiques et non physiques de l'état de manque.

Mais que se passe-t-il en l'absence de contraintes ? Soyons clairs : cela ne m'a pas été facile de m'abstenir de fumer pendant l'examen parce qu'on m'y forçait, mais parce que je savais d'avance que je ne pourrais pas allumer une cigarette. Ôtez les doutes de l'esprit d'un fumeur, et il lui devient facile d'arrêter.

Durant les jours qui suivent votre dernière cigarette, il peut arriver qu'un blocage mental déclenche en vous l'envie de fumer. Il vous suffit alors de vous rappeler que le tabac n'apporte strictement aucun bénéfice, que vous avez pris la bonne décision, et qu'il est inutile de vous attarder davantage sur la question.

Vous ne parviendrez peut-être pas à penser à autre chose. Ce n'est pas grave : dans ce cas, laissez-vous un peu aller à l'autosatisfaction, et félicitez-vous d'avoir recouvré la liberté. Ensuite, que vous régliez ou non ce blocage, vous goûterez votre bonheur.

Résumé

- Le tabac ne favorise pas la concentration, il la sape.
- Pour se concentrer, il faut écarter les distractions, et la cigarette est une distraction.
- L'idée selon laquelle il serait impossible de se concentrer sans une cigarette est un cercle vicieux.
- Les éléments déclencheurs perdent toute efficacité une fois que vous avez compris leurs mécanismes.
- Les fumeurs peuvent s'abstenir de tabac pendant de longues périodes en cas de nécessité.

CHAPITRE 10

COMMENT DEVIENT-ON ACCRO ?

DANS CE CHAPITRE

• VOUS DEVENEZ ACCRO À CAUSE DES AUTRES FUMEURS • TOMBER ET RETOMBER DANS LE MÊME PIÈGE • UN INTERMINABLE NAUFRAGE • LES MENSONGES DES FUMEURS • DES MODÈLES À NE PAS SUIVRE

LES AUTRES FUMEURS SONT VOS PIRES ENNEMIS

Le bouche à oreille est l'arme publicitaire la plus efficace : l'industrie du tabac dispose ainsi de la plus grande force de vente à la surface de la planète, et cela ne lui coûte pas un centime.

Pourquoi avez-vous commencé à fumer ? La plupart des gens tombent dans l'addiction à cause de leurs amis ou de leurs proches. Certains parents espèrent s'en tirer avec le classique : « Fais ce que je te dis, ne fais pas comme moi », mais leur comportement influe énormément sur celui de leurs enfants. Leurs sermons sur les dangers du sexe, de l'alcool et du tabac demeurent sans effet s'ils donnent l'exemple inverse. Rien d'étonnant à ce que leurs enfants aient hâte de goûter au fruit défendu !

UN SACRÉ COUP DE CHANCE

J'ai entendu des centaines d'histoires très bizarres sur la manière dont les gens deviennent accros. Un jour où j'étais interviewé à la télévision par le journaliste Danny Baker, je lui ai demandé par quel miracle il n'avait jamais fumé une seule cigarette de sa vie. Voici ce qu'à ma grande surprise il m'a répondu : « Quand j'étais jeune, j'ai craqué pour une fille dans un bal. Comme elle fumait, je suis allé acheter un paquet de cigarettes, mais quand j'ai voulu lui en offrir une, elles sont toutes tombées sur le parquet. Mes amis ont éclaté de rire, et je me suis senti si stupide que je n'ai jamais recommencé. » C'est ce qui s'appelle un sacré coup de chance !

Les gens qui ont déjà échappé au piège finissent souvent par tomber dedans à la faveur d'une crise et de l'inévitable compassion des fumeurs, toujours prêts à vous offrir une cigarette pour vous « aider » à tenir le choc. Accident de la route, deuil, licenciement, rupture amoureuse : pourquoi faut-il toujours qu'un fumeur profite de ces diverses opportunités pour vous encourager à remplir vos poumons de fumées toxiques ?

Nous devons surmonter l'idée négative que de nombreux fumeurs entretiennent à propos des non-fumeurs. Quand on fume, on se convainc soi-même qu'on « apprécie une petite cigarette ». Mais on peut aussi apprécier le fait de ne pas fumer. C'est ce que je ressens chaque jour, et il en sera bientôt de même pour vous.

Les fumeurs poussent les autres dans l'addiction en propageant le mythe selon lequel le tabac procurerait du plaisir. J'ai expliqué au début du livre comment les adolescents deviennent accros en acceptant les cigarettes qu'on leur offre, puis en se sentant obligés d'aller en acheter à leur tour. C'est encore plus triste de voir un ancien fumeur adulte tomber dans le même panneau. Il a toujours un ami sous la main pour lui offrir une cigarette quand il a envie de fumer. Celui-ci le met en garde contre une rechute, mais l'ancien fumeur réplique : « Aucun risque ! Je n'en achète jamais. » Pendant tout ce temps, le fumeur est secrètement ravi de voir son ami tenté par une cigarette, car du coup il a un peu moins honte de sa propre addiction.

Au bout d'un certain temps, le « dealer » en a assez de fournir gratuitement son ami, et l'heure de vérité finit par arriver. L'ancien fumeur, celui qui quelques jours auparavant n'avait pas besoin du « soutien » de la nicotine et jurait que pour rien au monde il n'entrerait dans un bureau de tabac, se retrouve devant une alternative : soit il s'en passe, soit il va acheter un paquet et s'humilie devant ses amis et sa famille. L'issue est inévitable. Il tente d'atténuer sa honte en prétendant avoir acheté ce paquet pour rendre les cigarettes qu'on lui a offertes, mais la vérité est évidente :

IL EST RETOMBÉ DANS LE PIÈGE !

LES MOTS QUI SÈMENT LE DOUTE

Les fumeurs cherchent trop souvent à saboter les efforts de ceux qui veulent se libérer. Je me souviens d'une mère de famille arrivée en pleurs dans notre centre de Birmingham. Elle est à la fois complètement déprimée par son tabagisme et terrifiée à l'idée d'arrêter. Quelques heures plus tard, elle ressort du centre en pleurant, mais cette fois-ci ce sont des larmes de joie qui contaminent le reste du groupe. Elle est tellement heureuse d'être devenue une non-fumeuse qu'elle me plante un gros baiser sur la joue.

Le soir même, elle va voir sa fille et son gendre pour leur annoncer la bonne nouvelle. Son gendre voudrait lui aussi arrêter, mais il utilise la méthode fondée sur la volonté, et la joie affichée par sa belle-mère provoque son dépit. « Pourquoi un tel enthousiasme ? murmure-t-il d'une voix méchante. Vous avez arrêté depuis moins de vingt-quatre heures. Il n'y a pas de quoi pavoiser. » Ses paroles vont s'avérer désastreuses. Elle n'allume pas une cigarette sur-le-champ, mais le doute a été semé dans son esprit. Elle perd confiance et, de retour chez elle, commence à remettre en cause sa décision. Heureusement, elle me recontacte et apprend qu'il faut ignorer les autres fumeurs, surtout ceux qui cherchent à transmettre leur sentiment d'échec.

Ne laissez jamais l'influence des fumeurs saper votre détermination. Utilisez-la dans un sens positif, car leur mauvais exemple peut vous aider à conquérir votre liberté, puis à la conserver.

N'oubliez jamais que :

TOUS LES FUMEURS SONT DES MENTEURS

Ils se mentent à eux-mêmes et mentent aux autres. Comment pourraient-ils faire autrement ? Ce n'est déjà pas drôle de fumer quand on refuse de regarder en face l'odeur répugnante, le poison, le souffle court, les quintes de toux, l'esclavage et l'humiliation. S'ils cessaient de s'aveugler, le cauchemar deviendrait insupportable. Aussi finissons-nous par croire à nos propres mensonges et à ceux des autres fumeurs.

Il faut beaucoup de courage pour admettre que vous avez été stupide, surtout quand cette stupidité vous a coûté la vie. Yul Brynner, le célèbre acteur de Hollywood, a eu ce courage après avoir appris qu'il allait mourir des suites du tabagisme. Wayne McLaren, le fameux « cow-boy Marlboro », est devenu un militant antitabac après qu'on lui eut diagnostiqué un cancer en phase terminale. D'ailleurs, les trois hommes qui ont posé dans des paysages de westerns pour les publicités Marlboro – McLaren, David McLean et Dick Hammer – sont morts d'un cancer du poumon, ce qui a valu aux tristement célèbres paquets rouges le surnom de « tueurs de cow-boys ». Si seulement les fumeurs voulaient bien arrêter de justifier leur bêtise en répétant que le tabac procure un plaisir et un soutien fabuleux, ils sauveraient des vies humaines au lieu d'attirer de nouvelles victimes dans le piège de la nicotine.

UN INTERMINABLE NAUFRAGE

Rappelez-vous qu'un fumeur dépense environ 100 000 euros en cigarettes au cours de son existence. Et en gaspillant tout cet argent, vous vous condamnez à la maladie, à la mauvaise haleine, aux dents jaunies, au souffle court, aux quintes de toux, à la léthargie, à l'humiliation et à l'esclavage. Vous fumez cigarette sur cigarette sans même vous en rendre compte. Vous n'en prenez conscience que lorsque vous commencez à étouffer et que le risque de tomber en panne provoque votre panique. Vous passez également une bonne partie de votre vie à souffrir du manque parce que vous n'êtes pas autorisé à fumer. Les autres vous dédaignent et, pis encore, vous vous méprisez vous-même. ET QU'OBTENEZ-VOUS EN ÉCHANGE ?

La grande arnaque

Propager l'illusion relative au plaisir que nous procurerait la cigarette est le plus grand service que nous puissions rendre à l'industrie du tabac. Non seulement nous les laissons répandre la mort en encaissant des profits confortables, mais nous nous chargeons de leur marketing en les aidant à embobiner de nouveaux toxicomanes et à attirer d'anciens fumeurs dans le piège. Ils devraient nous verser un salaire !

Nos lamentables plaidoyers, destinés à justifier une addiction pathétique, donnent parfois l'impression que le tabac est bénéfique ! Nous avons déjà parlé de l'oncle Fred. Il faut à présent aborder le cas de l'oncle John. Celui-ci fume deux paquets par jour depuis l'âge de 14 ans, et il prétend avoir apprécié chacune d'entre elles. Comme Fred, il est octogénaire et se vante de ne pas avoir été malade un seul jour dans sa vie. Tous les fumeurs connaissent un oncle John. Nous avons besoin de lui pour contredire les statistiques terrifiantes dont la société nous accable. Nous nous raccrochons aussi désespérément à sa femme, tante Jane, qui n'a jamais fumé une seule cigarette et qui est morte d'un cancer du poumon à l'âge de 50 ans.

C'est incroyable de voir des gens par ailleurs intelligents et raisonnables accepter un sondage réalisé à partir d'un échantillon d'une seule et unique personne, et nier des statistiques fondées sur des centaines de milliers d'individus. Mais le propre des drogués est d'avoir un esprit biaisé.

Avez-vous déjà entendu parler de la FOREST (Association pour la Liberté de Profiter du Droit de Fumer du Tabac) ? Elle a été créée dans le but de résister à la pression que notre société fait peser sur les malheureux fumeurs, et elle jouit aujourd'hui du soutien financier de l'industrie du tabac. Cette association consacre beaucoup d'efforts et d'ingéniosité à formuler des arguments en faveur du tabagisme. En 1992, à l'occasion de la Journée sans tabac, j'ai rencontré dans un débat radiophonique le directeur général de la FOREST, Chris Tame.

Extrêmement éloquent, celui-ci a commencé par expliquer que la première personne qui avait essayé d'interdire le tabac était Adolf Hitler. Une entrée en matière très habile, puisqu'elle établissait implicitement un parallèle entre les militants antitabac et l'un des dictateurs les plus abominables de l'Histoire. Mais cet argument, comme tous ceux auquel a recours la FOREST, omet les deux points suivants :

1. Les fumeurs ne jouissent de toute façon d'aucune liberté. Ils ne choisissent pas plus de tomber dans le piège de l'addiction qu'un poisson de mordre à l'hameçon. Ensuite, ils ne choisissent pas non plus de continuer à fumer.
2. Les fumeurs n'aiment pas fumer. Ils se l'imaginent simplement parce qu'ils sont des toxicomanes et qu'ils souffrent quand on les empêche de fumer.

Le tabac a déjà tué plus de gens sur cette planète que toutes les guerres réunies.

Quand j'ai demandé au responsable de la FOREST s'il jugeait souhaitable de légaliser l'héroïne, il a refusé de me répondre. Comme quoi sa défense des libertés individuelles était à géométrie variable. Après tout, les victimes de l'héroïne ne représentent qu'une infime fraction de celles du tabac. Et qu'en est-il du droit des non-fumeurs à respirer un air sain ?

Puisque nous en sommes à la liberté de choix, posez-vous trois questions :

1. Connaissez-vous des non-fumeurs qui rêvent de devenir fumeurs ?
2. Connaissez-vous d'anciens fumeurs qui regrettent de ne plus fumer ?
3. Connaissez-vous des fumeurs qui, s'ils pouvaient remonter en arrière jusqu'au jour où ils ont allumé leur première cigarette, décideraient toujours de la fumer ?

Si vous êtes honnête, vos trois réponses seront les suivantes :

1. Non.
2. Non.
3. Non.

Personne ne veut être un fumeur. Derrière toutes les absurdités relatives au prétendu plaisir, au soutien, à la détente et au soulagement du stress, une seule raison nous pousse à continuer : la PEUR. La peur de ne plus pouvoir profiter de la vie ; la peur de devoir traverser des épreuves terribles pour nous sevrer ; la peur de ne jamais réussir à nous libérer complètement de l'envie de fumer. Il ne nous vient pas à l'esprit que les non-fumeurs n'éprouvent aucune de ces craintes, et que la cigarette, loin de les atténuer, est à leur origine. Ces peurs imaginaires sont si vives qu'elles l'emportent sur les dangers bien réels du tabagisme.

DES MODÈLES À NE PAS SUIVRE

Venons-en à une catégorie de fumeurs particulière, celle des personnes très influentes qui contribuent, consciemment ou inconsciemment, à nous faire tomber dans l'addiction

Hollywood a contribué à répandre l'illusion que la cigarette est un gage de séduction et d'élégance décontractée. Je suis convaincu que ce lavage de cerveau est en partie responsable de mon addiction et de celle de mes amis. De Marlene Dietrich à Leonardo DiCaprio, l'image de la star de cinéma une cigarette à la main a encouragé d'innombrables personnes à se mettre à fumer.

Au cours des années 1970, lorsque le monde entier a commencé à ouvrir les yeux sur les dangers du tabac, Hollywood s'est efforcé de suivre le mouvement, et la cigarette a connu une éclipse significative par rapport à l'époque de Greta Garbo, Humphrey Bogart, James Dean et Audrey Hepburn. Hélas ! Hollywood est redevenu accro, et les scènes dans lesquelles des acteurs fument sont aujourd'hui aussi nombreuses que dans les années 1950, bien que le pourcentage de fumeurs en Amérique ait diminué de moitié depuis un demi-siècle.

Dans Basic Instinct *(1992), Sharon Stone prend des poses aguichantes, une cigarette à la main. Joe Eszterhas, scénariste, producteur et gros fumeur, a regretté publiquement que son film ait fait de la publicité pour la cigarette après avoir développé un cancer de la gorge.*

De nombreuses stars hollywoodiennes ont sans aucun doute contribué à attirer des foules de spectateurs dans le piège. Et elles ont souvent touché des sommes coquettes dans ce but, même si elles n'étaient pas toujours conscientes des conséquences néfastes pour leurs victimes.

Les acteurs ne sont d'ailleurs pas les seuls à jouer un rôle de publicités vivantes pour le tabac. Les chanteurs, les vedettes de la télévision, les participants aux reality shows deviennent des exemples à suivre : quand ils fument, des milliers d'admirateurs les imitent.

UNE MAUVAISE EXCUSE

> Quand j'avais épuisé toute ma liste de prétextes minables pour continuer à fumer, je citais le cas du philosophe Bertrand Russell. N'allez surtout pas imaginer que je sois un intellectuel : je n'ai jamais lu un seul de ses livres. Je ne savais que deux choses sur lui : c'était un génie et il avait en permanence une cigarette pendant au coin des lèvres. Grâce à lui, je pouvais avancer cette excuse pitoyable : « Je ne comprends pas pourquoi je fume, mais ce type est génial. Il doit donc y avoir une bonne raison, sinon il ne fumerait pas. »

ÉLÉMENTAIRE, MON CHER WATSON !

Certaines de nos références perpétuent les mythes liés au tabac. Par exemple Sherlock Holmes, le héros de mon enfance. Son créateur, Sir Arthur Conan Doyle, était médecin, et je lui attribuais une intelligence et des pouvoirs de déduction aussi remarquables que ceux de Holmes. Quand il parlait d'« une énigme nécessitant trois pipes », n'était-ce pas la preuve que le tabac favorisait la concentration ?

Je ne me rendais pas compte de l'influence de Humphrey Bogart, Bertrand Russell, Sherlock Holmes et de nombreuses autres célébrités, mais mon subconscient en concluait : « Je ne suis quand même pas un imbécile. Ces types courageux, intelligents, accomplis fument. Le tabac doit bien leur apporter quelque chose, sinon ils s'en abstiendraient. »

Pour prendre toute la mesure du problème, nous devons avoir conscience du rôle des modèles sur nos enfants et nos petits-enfants, ainsi que sur nous-mêmes. Il est facile d'oublier que le tabac est l'ennemi public numéro un quand un personnage de dessins animés comme Popeye a en permanence la pipe au bec. À quoi sert cette pipe dans l'histoire, sinon à perpétuer le mythe selon lequel même les forts auraient besoin du soutien du tabac ?

Certains prétendent que la prolifération des drogues, du sexe et de la violence dans les programmes de télévision n'exerce aucune influence sur le comportement des téléspectateurs, et que ces émissions ne font que refléter l'évolution de la société moderne. Cela revient à dire que le marketing n'a aucune efficacité, que la publicité est de l'argent jeté par les fenêtres, et que c'est une coïncidence si des milliers d'adolescents ont adopté la coupe de cheveux des Beatles dans les années 1960.

Nos connaissances, nos opinions et nos actes résultent directement des informations qui nous sont communiquées par des sources très variées.

Lorsque nous nous apercevons que nos demi-dieux ne sont que des êtres humains, nous comprenons aussi qu'ils ne fument pas par souci d'élégance ou de séduction, mais parce qu'ils sont tombés dans le même piège que nous. Et eux aussi, ils voudraient arrêter. Clint Eastwood n'avait pas une allure de dur parce qu'il fumait, mais parce que la nature lui avait donné cette allure. La cigarette n'a rien à voir avec le charisme, mais à l'inverse un acteur peut transmettre son charisme à la cigarette.

« La méthode d'Allen Carr… c'est vraiment magique ! »

David Blaine

Résumé

- Nous commençons à fumer pour des raisons stupides.
- Les cigarettes ne sont d'aucun secours en temps de crise. Elles ne font que l'aggraver.
- Les fumeurs mentent pour se justifier.
- Les fumeurs perpétuent le mythe selon lequel le tabac serait un plaisir et un soutien. N'en croyez pas un mot.
- Les fumeurs finissent par croire à leurs propres mensonges.
- Les célébrités donnent une image d'élégance et de séduction au tabac. C'est une escroquerie.
- Personne n'a envie d'être un fumeur.

CHAPITRE 11

LES SUBSTITUTS

DANS CE CHAPITRE

• À LA RECHERCHE D'UNE CIGARETTE INOFFENSIVE • LA NICOTINE SOUS TOUTES SES FORMES • POURQUOI NOUS DÉSIRONS DES SUBSTITUTS • LES SUBSTITUTS NOUS GARDENT PRISONNIERS

LA CULTURE DE LA DÉPENDANCE

De nombreux fumeurs essayent les chewing-gums à la nicotine ou les patches, mais loin de les aider à se libérer, ces substituts prolongent et renforcent leur addiction.

On a dépensé des sommes colossales dans l'espoir de trouver une alternative inoffensive au tabac. Par inoffensive, je veux dire qui ne vous tue pas.

Autrefois, certains fabricants ont même essayé de lancer une cigarette sans nicotine. Ils ont investi des fortunes dans la recherche et la promotion, avant de tout laisser tomber discrètement. L'industrie du tabac gagne des milliards en vendant l'ennemi public numéro un ; imaginez l'effet qu'une cigarette qui tue moins vite aurait eu sur les fumeurs, sans parler des foules de non-fumeurs et d'anciens fumeurs qui les auraient rejoints. Alors, pourquoi abandonner en si bon chemin ?

Je vais vous donner une piste : avez-vous déjà goûté aux cigarettes à l'eucalyptus ? Vous savez, ces trucs qui sentent mauvais et qui n'apportent aucune satisfaction ? Le tabac aussi avait une odeur et un goût nauséabonds quand vous avez commencé. Pourtant, vous avez persévéré, alors que personne ne s'accroche aux cigarettes à l'eucalyptus. Les fabricants ont compris que sans nicotine leurs substituts ne donneraient à personne l'illusion du plaisir : l'addiction à la nicotine n'est pas simplement une des conséquences du tabagisme, elle est *la seule et unique raison* qui pousse les gens à fumer.

Les chewing-gums à la nicotine ont un goût épouvantable, et ils entretiennent votre addiction. Prenez de la nicotine sous quelque forme que ce soit, et vous resterez accro.

Voilà pourquoi l'industrie du tabac se diversifie dans d'autres produits nicotiniques sans fumée. Ainsi, le *snus* scandinave (sorte de sachet de thé contenant du tabac en poudre et placé derrière les gencives) est proposé dans différents parfums dignes de la confiserie. Les grands cigarettiers sont d'ailleurs en train de racheter les producteurs de *snus*. R.J. Reynolds Tobacco distribue *Camel Snus* aux États-Unis et proposera bientôt des alternatives solubles aux cigarettes sous forme de bâtonnets, de pastilles et de languettes. L'industrie du tabac n'a pas l'intention de perdre votre clientèle à cause des interdictions de fumer. Elle a de grands projets pour votre avenir et celui de vos enfants…

Ces nouveaux produits, regroupés sous l'appellation *Camel Dissolvables*, fondent dans la bouche. Tout est prévu pour les rendre attractifs : paquets tape-à-l'œil, parfum menthe fraîche ou goût fruité. Ils contiennent entre 0,6 et 3,1 mg de nicotine, contre 2 à 4 mg pour les chewing-gums, et en moyenne 1 mg pour une cigarette. Quelle est la différence entre ces produits destinés à vous maintenir accro et ceux que les médecins vous prescrivent dans le cadre du sevrage tabagique ?

Les cigarettiers s'intéressent de très près à ces nouvelles perspectives, malgré une étude publiée en 2007 par la Société américaine du cancer, selon laquelle les fumeurs qui se sont tournés vers le tabac sans fumée ont toujours un taux de mortalité plus élevé que les personnes qui ont arrêté ou qui n'ont jamais fumé. Les industriels reconnaissant d'ailleurs ce problème : « Le consommateur doit prendre en compte les informations disponibles sur les risques potentiels de tous les produits dérivés du tabac. Aucun d'entre eux ne peut être considéré comme sûr et sans risque », explique David Howard, de R.J. Reynolds Tobacco.

Si vous avez déjà l'impression d'être un pitoyable drogué, songez à ce que ressentiront vos enfants dans vingt ans, quand ils seront accros aux pastilles à la nicotine vendues par des entreprises ayant pignon sur rue.

La plupart des gens détestent les piqûres. Même les intrépides qui ne tremblent pas à la vue d'une seringue s'en passent volontiers. Seuls les héroïnomanes ont hâte de se planter une aiguille dans les veines.

Vous croyez qu'ils espèrent ainsi prendre un pied fabuleux ? Ou bien agissent-ils ainsi parce qu'ils savent que leur panique et leur souffrance vont être soulagées, du moins provisoirement ?

Les héroïnomanes n'aiment pas vraiment se piquer. C'est juste un rituel nécessaire pour interrompre l'état de manque atroce créé par leur drogue. En fumant, les accros à la nicotine agissent de manière identique et cherchent à obtenir un résultat identique.

LES NON-FUMEURS IGNORENT LA PANIQUE

Les non-fumeurs ne peuvent même pas imaginer la panique qui vous pousse à allumer une cigarette. Il existe de grandes similarités entre l'addiction à la nicotine et l'addiction à l'héroïne. Cependant, une différence fondamentale demeure : les drogués à l'héroïne savent qu'ils se piquent pour avoir leur dose, alors que les drogués à la nicotine croient qu'ils fument par plaisir. Le tabagisme, en effet, est beaucoup plus subtil que l'addiction à l'héroïne.

Tant que nous considérons le tabac comme un plaisir, nous restons pris au piège de la nicotine – que nous fumions ou que nous recherchions des substituts. Nous pensons apprécier le tabac parce qu'il semble soulager le sentiment de vide et d'insécurité créé par la disparition de la nicotine dans notre organisme. Mais ce phénomène a été déclenché par notre première cigarette, et toutes celles que nous avons fumées ensuite ont fait en sorte que cette souffrance se répète encore et encore et encore. Par bonheur, il suffit d'arrêter pour être délivré à jamais de ce supplice.

Si j'avais écrit ce livre il y a 300 ans, je vous aurais dit : « Écoutez, cela ne procure aucun plaisir de se fourrer du tabac en poudre dans les narines. En prisant, vous cherchez à aspirer de la nicotine, et c'est elle qui est à l'origine de votre problème. »

Les gommes à mâcher

Nos centres accueillent de très nombreux anciens fumeurs qui sont désormais accros aux chewing-gums à la nicotine. D'autres consomment à la fois des gommes et des cigarettes ! D'autres encore retirent leur patch pour fumer une cigarette, puis le recollent après avoir écrasé leur mégot ! Après tout, c'est peut-être l'avenir. Il y a 300 ans, nous avions bien recours au tabac à priser pour obtenir notre dose de nicotine. Qui peut jurer qu'il ne reviendra pas à la mode, surtout si le corps médical continue à soutenir les campagnes en faveur des moyens alternatifs pour introduire de la nicotine dans notre organisme ? Et pourquoi la recherche se poursuit-elle ? Est-ce que par hasard les médecins ne croieraient plus dans l'efficacité des patches ?

Les traitements à base de substituts nicotiniques sont en réalité un moyen de prolonger l'addiction. Ces traitements n'ont rien de thérapeutique. On voit même apparaître de plus en plus souvent des substituts nicotiniques qui ne visent nullement au sevrage, mais qui sont présentés comme une alternative permanente à la cigarette.

Voici par exemple le message publicitaire d'un gel nicotinique : « Nicogel est conçu pour une époque où de plus en plus souvent on interdit aux fumeurs de fumer. De nos jours, Nicogel est la solution idéale dans l'avion, au bureau, dans les bars, les restaurants, les cinémas et autres lieux publics. »

Pas besoin d'être un génie pour comprendre qu'en fournissant à un toxicomane la drogue à laquelle il est accro, on ne l'aide pas à détruire son addiction. Pourtant, les pouvoirs publics et le corps médical, encouragés par les grands laboratoires, font de ces substituts la pierre angulaire de leur politique de santé ; l'industrie pharmaceutique, dont les profits sont déjà vertigineux, empoche ainsi l'argent des contribuables, et les accros à la nicotine restent enfermés dans leur prison. Un véritable scandale !

Imaginez un de vos amis qui à la fin du dîner retrousse sa manche et se colle un patch sur le bras en s'exclamant : « Je n'en ai pas besoin, mais j'adore ça. Il n'y a rien de plus relaxant qu'un petit patch après un bon repas ! »

En fait, votre ami vous tiendra sans doute plutôt le refrain habituel des adeptes du patch : « Il m'aide pour le côté physique du sevrage, mais pas pour le côté psychologique. » La vérité, c'est qu'il n'y a aucun aspect physique. Le problème est entièrement psychologique.

L'un des arguments utilisés par le corps médical pour promouvoir les substituts nicotiniques consiste à dire que s'ils ne viennent pas à bout de votre addiction, au moins ils vous épargneront les autres substances toxiques contenues dans les cigarettes.

C'est un bon argument, à condition que vous souhaitiez rester accro pour le restant de vos jours. Mais si vous êtes en train de lire ce livre, n'est-ce pas parce que vous espérez rompre les chaînes de l'esclavage ? C'est une bien sombre perspective que de rester pour toujours accro à la nicotine, sous quelque forme que ce soit. Quand un patient demande à son médecin de l'aider à arrêter de fumer, il lui prescrit le plus souvent un traitement à base de substituts nicotiniques. Une réaction complètement irresponsable ! Ce médecin prescrit un poison pour traiter une maladie qui n'existe que parce que le patient consomme déjà ce poison, une maladie pour laquelle le seul remède possible est d'arrêter d'en prendre. L'addiction à la nicotine est un cauchemar, sous toutes ses formes possibles et imaginables.

ATTENTION: POISON!

La nicotine est un poison violent. Voici la définition du dictionnaire : « Liquide toxique, addictif, incolore et de consistance huileuse ; principal alcaloïde du tabac, à la base de la plupart des insecticides. » Les ouvrages de médecine dressent la liste de ses effets secondaires : « Nausées, vertiges, migraines, symptômes de type grippal, palpitations, indigestion, insomnies, rêves impressionnants et douleurs musculaires. Les patches transcutanés peuvent entraîner des réactions locales. Les sprays peuvent provoquer des irritations du nez et de la gorge, des saignements de nez, des larmoiements et des manifestations auditives. Les gommes à mâcher peuvent irriter la gorge et causer des ulcères de la bouche, parfois même un gonflement de la langue. Les inhalateurs peuvent provoquer des irritations de la bouche et de la gorge, des ulcères de la bouche, un gonflement de la langue, de la toux, des écoulements nasaux et de la sinusite. »

COMMENT PROLONGER LE CALVAIRE

Dans la pratique, l'immense majorité des personnes qui essayent des substituts nicotiniques finissent par se remettre à fumer. L'illusion de plaisir est très faible quand on mâchonne un chewing-gum, elle est nulle quand on porte un patch. Au bout du compte, ces personnes sont contraintes de regarder la réalité en face : elles sont de pitoyables accros à la nicotine. C'est tellement plus commode de se rabattre sur la cigarette. Là, au moins, elles pourront se tromper elles-mêmes sur le prétendu plaisir de fumer et recommencer à fréquenter d'autres accros aussi pitoyables qu'elles.

Revenons au point de départ : pourquoi se tourner vers des substituts ? Le principe est le suivant : vous voulez arrêter de fumer, mais vous ne vous sentez pas de taille à affronter les affres de l'état de manque. Vous prenez donc un substitut qui vous fournit vos doses de nicotine pendant que vous vous efforcez d'éliminer les causes supposées de votre addiction. Ensuite, quand il ne restera plus que le problème de la nicotine à traiter, vous diminuerez progressivement les doses, jusqu'à ce que vos besoins disparaissent complètement. C'est tout simple, non ? Hélas ! si c'était aussi simple, les traitements à base de substituts nicotiniques marcheraient, alors qu'ils mènent à l'échec.

Bien que conscient des conséquences néfastes du tabagisme, vous croyez toujours que la cigarette procure des avantages. Ah, si seulement vous pouviez trouver un substitut qui possède tous les avantages du tabac et aucun de ses inconvénients ! À l'évidence, vous voulez éviter la décrépitude physique et mentale, la ruine financière, l'esclavage, la crasse et la mise au ban de la société. Mais en même temps vous aimeriez conserver l'impression relaxante que vous éprouvez en allumant une cigarette.

J'ai une bonne nouvelle à vous annoncer ! Les non-fumeurs éprouvent cette décontraction en permanence. La seule raison qui vous pousse à allumer une cigarette est le désir de soulager la sensation de vide et d'insécurité résultant de la disparition de la nicotine de votre organisme – sensation totalement ignorée des non-fumeurs. En réalité, vous fumez pour essayer d'être aussi détendu qu'un non-fumeur. Or, le seul moyen de sentir aussi bien qu'un non-fumeur consiste à arrêter de fumer.

Pour devenir un non-fumeur heureux, vous devez assimiler parfaitement la vérité suivante : vous n'avez rien à perdre, et tout à gagner.

Je vous entends vous écrier : « Attendez une minute ! Et les terribles souffrances physiques du sevrage ? Une réduction progressive des doses de nicotine doit aider à les surmonter ? » Eh bien non, ABSOLUMENT PAS ! Certains soi-disant experts pensent qu'il est difficile d'arrêter à cause de deux forces redoutables : l'habitude et les terribles souffrances du sevrage. Si c'était vrai, il serait justifié de les traiter séparément, et donc de continuer à fournir de la nicotine à l'organisme pendant qu'on s'attaque à l'habitude. Une fois celle-ci éliminée, il suffirait d'affamer progressivement le Petit Monstre en le privant de sa drogue.

Mais ce n'est pas vrai. Souvenez-vous :

LE TABAGISME N'EST PAS UNE HABITUDE,
MAIS UNE ADDICTION
LES EFFETS PHYSIQUES DE L'ÉTAT DE MANQUE
SONT PRESQUE IMPERCEPTIBLES

Pour réussir à arrêter, vous devez vaincre deux ennemis, mais l'habitude n'a rien à voir là-dedans, et vous n'éprouverez aucune souffrance. L'un des ennemis est le Petit Monstre de la nicotine dans votre organisme, mais il est si ténu que vous n'avez pas besoin d'un sevrage progressif. Le seul problème avec le Petit Monstre, c'est qu'il risque d'alerter le Grand Monstre dans votre cerveau. Ce dernier interprète le manque ressenti par le Petit Monstre avec les mots suivants : « J'ai besoin ou envie d'une cigarette. » Vous vous sentez donc en manque et malheureux s'il vous est impossible d'en allumer une. En continuant à fournir de la nicotine à votre organisme, vous prolongez la vie des deux Monstres.

Ne recourez pas non plus aux substituts non nicotiniques tels que les bonbons, le chocolat, les pastilles de menthe ou les chewing-gums ordinaires. La sensation de vide et d'insécurité provoquée par l'état de manque ressemble beaucoup à la faim, mais les aliments ne peuvent pas la soulager.

Si vous prenez des substituts, vous allez déplacer le problème au lieu de le régler. Quand votre rhume est guéri, cherchez-vous une autre maladie pour le remplacer ? L'effet le plus néfaste des substituts, qu'ils contiennent ou non de la nicotine, est de perpétuer l'illusion que vous consentez un sacrifice.

« La cigarette ne m'a pas manqué. J'avais essayé l'abstinence volontaire, puis d'innombrables séances d'hypnose. Cette fois-ci, c'est complètement différent. Ma peau va mieux. Je me sens mieux. Je respire mieux. Je ne peux pas vous expliquer comment ça marche, si ce n'est que cette méthode agit sur les raisons psychologiques qui vous poussent à fumer. Je suis vraiment fière de moi et stupéfaite que ça se soit passé aussi facilement. »

Carol Harrison, actrice, EastEnders

Résumé

- Les substituts nicotiniques prolongent votre addiction.
- L'industrie du tabac a intérêt à nous maintenir accros à la nicotine sous toutes ses formes.
- Les laboratoires pharmaceutiques, soutenus par les pouvoirs publics et le corps médical, concurrencent l'industrie du tabac sur le marché de la nicotine.
- Tous les substituts renforcent l'illusion selon laquelle arrêter de fumer serait un sacrifice.

CHAPITRE 12

LA PRISE DE POIDS

DANS CE CHAPITRE

• LE TABAC N'EMPÊCHE PAS DE GROSSIR • POURQUOI LES GRANDS FUMEURS SONT SOUVENT OBÈSES • LA NICOTINE REMPLACE LA NOURRITURE • COMMENT ARRÊTER DE FUMER SANS PRENDRE DE POIDS

UN ARGUMENT BANCAL

De nombreux fumeurs qui utilisent la méthode fondée sur la volonté grossissent au moment du sevrage et en concluent que la cigarette préservait leur silhouette. Nous allons balayer ce mythe et expliquer comment on peut arrêter sans prendre de poids.

« Je ne suis pas trop gros. Il me manque juste 15 centimètres. »

Voilà la plaisanterie rituelle que m'inspirait mon physique disgracieux. Non pas après avoir arrêté la cigarette, mais lorsque je fumais comme un sapeur. J'avais beau ne faire qu'un seul repas par jour, je pesais toujours une quinzaine de kilos de trop. Contrairement à la croyance populaire, le tabac ne préservait pas ma ligne. Néanmoins, il est exact que beaucoup de gens grossissent quand ils arrêtent de fumer. Je suis certain que vous en connaissez, et c'était aussi mon cas : à chaque tentative avortée, je prenais plusieurs kilos. À une exception près : six mois après avoir écrasé ma dernière cigarette, j'avais perdu 15 kilos.

LA CIGARETTE NE VOUS AIDE PAS À RESTER MINCE

Parmi les nombreux fumeurs qui viennent chercher de l'aide dans les centres Allen Carr, aucun n'a décidé un beau jour de devenir fumeur à vie. Ils ont tous essayé une première cigarette et se sont retrouvés pris au piège. Certains affirment avoir commencé dans le but de garder la ligne, mais ce n'est pas pour ça qu'ils continuent. Ils sont accros, comme les autres.

Nous avons relevé plus haut la confusion qui existe souvent entre état de manque nicotinique et faim. Le matin au réveil, nous soulageons une série de besoins : nous vidons notre vessie, nous étanchons notre soif, et les non-fumeurs satisfont leur faim. Les fumeurs, eux, ont plutôt tendance à allumer une cigarette. Il est en effet très difficile de distinguer la sensation produite par l'état de manque de celle qui résulte d'un estomac vide.

Cette ressemblance crée une confusion entre manger et fumer. Le problème, c'est que la nourriture ne comble pas l'état de manque, pas plus que la nicotine n'apaise la faim. Et ce déséquilibre ne fait qu'empirer puisque l'organisme développe une tolérance à la nicotine : même quand ils ont une cigarette allumée, les fumeurs ne sont pas complètement épargnés par les symptômes du manque. Ils éprouvent une sorte de faim permanente et recherchent constamment des aliments ou des cigarettes, ou bien les deux en même temps, afin de combler ce vide. Le nombre de cigarettes quotidiennes est limité par un ensemble de facteurs : interdictions de fumer, travail, coût financier, résistance des poumons... Lorsqu'ils ne peuvent pas fumer, les gens se rabattent donc sur la nourriture. Voilà pourquoi les grands fumeurs, loin de rester minces, souffrent souvent d'obésité, comme c'était mon cas.

« L'une de mes connaissances est allée voir un thérapeute et a arrêté facilement. Trois autres amis ont connu le même succès, sans prendre de poids ni ressentir les effets du sevrage. Au bout de sept expériences réussies, j'ai bien été obligée de les écouter. Les moments que j'ai passés avec Allen Carr ont été les plus fructueux depuis le moment où j'avais allumé ma première cigarette à l'âge de 14 ans. Si cela n'était pas aussi embarrassant, je vous dirais qu'ils ont changé ma vie. Il n'y a rien de plus facile. Et ça marche, je vous assure, sans la moindre prise de poids. »

Emma Freud, journaliste et écrivain

Pourquoi beaucoup de gens grossissent-ils lorsqu'ils arrêtent de fumer ? Parce que dans les jours qui suivent votre dernière cigarette votre organisme continue à ressentir l'état de manque, et que vous avez naturellement tendance à chercher autre chose pour combler le vide. Rappelez-vous ce que nous avons dit à propos des substituts nicotiniques dans le chapitre précédent. En vous rabattant sur les chewing-gums ou sur les pastilles à la menthe, vous ne parvenez pas à soulager votre sensation de vide, ce qui augmente votre frustration et votre irritabilité – celle-ci étant encore exacerbée par votre mâchonnement permanent.

Votre organisme et votre cerveau exigent alors de petites récompenses. Comme vous ne pouvez plus supporter les gommes à mâcher et les pastilles, vous vous tournez vers des aliments plus substantiels et plus riches en calories. En outre, chaque substitut consommé agit comme un rappel : ce n'est pas cela que vous désirez vraiment, mais une cigarette. Non seulement le substitut ne comble pas le vide, mais il prolonge la sensation de privation.

On vous a peut-être raconté que si les gens grossissent quand ils arrêtent de fumer, c'est parce que le tabac accélère le métabolisme. Dans ce cas, pourquoi mon métabolisme n'a-t-il pas ralenti lorsque j'ai écrasé ma dernière cigarette ? Et pourquoi, au lieu de grossir, ai-je perdu une quinzaine de kilos ? Vous trouvez toujours des experts pour soutenir les théories les plus alambiquées, alors que la vérité saute aux yeux. Les gens grossissent quand ils arrêtent de fumer parce qu'ils se mettent à remplacer la nicotine par des aliments. Dans mon livre *La Méthode simple pour perdre du poids*, j'explique comment parvenir au poids idéal sans faire de régime et sans avoir l'impression de se priver.

Non content de susciter une faim permanente, le tabac favorise également le surpoids en réduisant votre énergie, et par là même en vous décourageant de vous dépenser physiquement.

Plus vous êtes accro, plus votre santé se détériore, et moins vous êtes enclin à pratiquer des activités qui vous empêchent de fumer.

L'une des instructions essentielles dans la Méthode simple d'Allen Carr est de ne pas modifier votre style de vie sous prétexte que vous arrêtez de fumer. Je reviendrai plus loin sur ce point précis. L'exercice physique entraîne une poussé d'adrénaline et vous donne des sensations fantastiques. Il n'y pas de meilleur stimulant, et vous avez l'impression de vivre pleinement ! Cela dit, si vous êtes un peu rouillé, allez-y doucement au début. Rien ne presse : vous avez la vie devant vous.

Pourtant, on ne peut pas nier qu'il existe beaucoup de fumeurs minces et de non-fumeurs en surpoids. Je ne vais pas prétendre que seuls les fumeurs ont des kilos en trop. Comme je l'ai déjà expliqué, ce sont deux problèmes distincts. Mais le point à retenir est le suivant : quand les anciens fumeurs grossissent, c'est parce qu'ils ont arrêté avec une mauvaise méthode.

Si je n'ai pas pris de poids après avoir éteint ma dernière cigarette, c'est à grâce à la révélation dont j'ai fait l'expérience. Je n'ai éprouvé aucun manque, aucune souffrance. Au contraire, j'ai été transporté de joie. Le nuage bas qui plombait mon existence s'est soudain évaporé. Je n'ai pas eu besoin de substituts. Le misérable esclave de la nicotine était devenu un homme libre.

JE SUIS LIBRE !

Je peux vous assurer qu'une fois réglé votre problème de tabagisme, vous ressentirez une telle assurance et un tel bien-être que vous serez beaucoup mieux armé pour résoudre vos autres difficultés, y compris vos kilos en trop.

Mais il ne faudra pas commencer à grignoter entre les repas, faute de quoi vous grossirez et, pis encore, vous n'accéderez pas à une liberté totale, car le grignotage n'est rien d'autre qu'un substitut.

Certaines personnes s'imaginent que la cigarette étouffe l'appétit. Cette illusion repose sur plusieurs éléments. Premier élément : quand on arrête de fumer grâce à la volonté, on ressent un manque que l'on s'efforce de combler en mangeant et en buvant davantage. D'où une prise de poids. Avec la Méthode simple d'Allen Carr, il n'y a pas de sensation de manque, donc pas de substitut ni de prise de poids.

Deuxième élément : l'impression de vide et d'insécurité liée à l'état de manque présente une ressemblance trompeuse avec la faim. Le fait d'allumer une cigarette peut donc nous amener à croire que le tabac fait disparaître la faim, alors qu'en réalité il réduit simplement les symptômes de l'état de manque nicotinique.

Troisième élément : savez-vous ce qui arrive lorsqu'un non-fumeur ressent une faim de loup et s'abstient tout de même de manger pendant quelques minutes ? Eh bien, sa faim s'estompe rapidement. Le même phénomène se produit chez les fumeurs. Mais, s'ils allument une cigarette au même moment, ils lui attribuent la disparition de leur faim. Ils ne se rendent pas compte que ce phénomène est identique chez les fumeurs et chez les non-fumeurs. Bien entendu, ces derniers ne peuvent attribuer le répit dont bénéficie leur estomac au tabac. En fait, ils y prêtent à peine attention. Quand on parvient à contrôler sa faim, on le fait malgré le tabac, et non grâce à lui.

Avez-vous déjà entendu parler d'une marque de cigarettes baptisée « SPÉCIAL RÉGIME » ? Avec sur le paquet un encart vantant leur aptitude à endormir l'appétit et donc à vous aider à maigrir en diminuant vos apports de calories ? Si c'était vrai, l'industrie du tabac ne se serait pas privée de le faire savoir.

Résumé

- Si la cigarette vous aide à rester mince, pourquoi y a-t-il autant de fumeurs en surpoids ?
- L'état de manque ressemble beaucoup à la faim.
- La faim est naturelle ; l'envie de fumer est artificielle.
- Les personnes qui recourent à la volonté pour arrêter ont tendance à manger et à boire davantage.
- Avec la Méthode simple d'Allen Carr, vous n'aurez pas besoin de substitut et vous ne grossirez pas.

CHAPITRE 13

LES FUMEURS SONT TOUS LES MÊMES

DANS CE CHAPITRE

• LES EFFETS PERVERS DE LA LIBÉRATION DES FEMMES • LES FUMEURS OCCASIONNELS • LES FUMEURS NON ACCROS • DIMINUER VOTRE CONSOMMATION • LES FUMEURS INTERMITTENTS • LES FUMEURS HONTEUX

LES FUMEUSES

La libération des femmes leur a donné les mêmes droits qu'aux hommes. Y compris le droit de fumer.

Autrefois, les femmes représentaient une infime minorité des fumeurs. Aujourd'hui, elles sont plus nombreuses que les hommes dans de nombreux pays. Comment est-ce arrivé ?

Non seulement les femmes ont adopté des habitudes masculines, telle la consommation d'alcool et de cigarettes, mais l'industrie du tabac a dépensé des milliards pour faire croire aux femmes que la cigarette était un gage de séduction, de glamour, de sophistication, et qu'elle aidait à garder la ligne. La peur de grossir est en effet très répandue chez les femmes qui essayent d'arrêter. Mais, comme je l'ai expliqué plus haut, vous n'avez pas à vous soucier de prendre de poids si vous suivez la Méthode simple d'Allen Carr.

Je ne pense pas que l'augmentation du nombre de fumeuses s'explique uniquement par leur volonté de concurrencer les hommes, même si le combat pour l'égalité des sexes a joué un rôle indéniable. Je suis toujours stupéfait quand quelqu'un me dit : « Je suis une simple mère de famille. » Une SIMPLE mère de famille ! Si vous comparez la journée d'une femme au foyer à celle de la plupart des salariés, vous comprenez vite qu'elle exerce une des activités les plus stressantes qui soient.

Le féminisme a poussé de plus en plus de femmes à rejoindre le marché du travail, en plus des tâches ménagères et de l'éducation des enfants, et il est évident que leur existence quotidienne est devenue encore plus épuisante. L'égalité des sexes est sans conteste une grande avancée, mais le stress additionnel imposé aux femmes constitue l'un de ses effets pervers. Comme une illusion très répandue prétend que le tabac atténue le stress, il n'est pas étonnant que des millions de femmes se soient mises à fumer.

On sait depuis longtemps que le tabagisme chez la femme enceinte est nocif pour le bébé. Il est donc scandaleux que la société laisse les jeunes filles tomber dans l'addiction, avant de les soumettre à un chantage émotionnel durant leur grossesse : soit elles arrêtent, soit elles seront responsables des conséquences sur leur enfant.

Certaines femmes ont de la chance : de même que la nature modifie leurs habitudes alimentaires afin de favoriser la santé de la mère et du bébé, elles perdent toute envie de fumer pendant leur grossesse. Un exemple supplémentaire du fonctionnement miraculeux de notre organisme.

D'autres femmes décident d'arrêter, sans y parvenir. Même si leur enfant naît apparemment en bonne santé, cet échec leur laisse une mauvaise conscience qui les hantera pour le restant de leur vie. Je préfère ne pas penser à ce qu'elles ressentent quand l'enfant naît avec un handicap.

Même si elles parviennent à arrêter de fumer, cela ne dure en général que le temps de la grossesse. Certaines femmes nous disent qu'elles ont rallumé leur première cigarette quelques instants après la coupure du cordon ombilical ! C'est facile à comprendre : l'accouchement s'est déroulé normalement, la mère et l'enfant vont bien, les craintes se sont évanouies, la douleur et la fatigue sont momentanément oubliées, et la jeune mère est projetée du quatrième dessous au septième ciel – autrement dit elle passe par les deux extrêmes qui déclenchent d'ordinaire l'envie d'une cigarette dans le cerveau d'une fumeuse. En outre, le bébé ne partage plus son système sanguin et est donc à l'abri des effets nocifs du tabac.

Certaines jeunes femmes surmontent cette première tentation, mais rechutent un peu plus tard. Hélas ! rares sont les mères qui arrêtent définitivement de fumer à l'occasion d'une grossesse. Si vous renoncez à la cigarette pour le bien d'autrui, vous avez l'impression de consentir un sacrifice, et vous éprouvez un sentiment de privation. Si au contraire vous arrêtez dans le but purement égoïste de mieux profiter de la vie, vous ne ressentez aucun manque et vous jouissez de votre liberté.

De nombreux médecins, nourris des meilleurs intentions, conseillent aux femmes enceintes de diminuer leur consommation si elles ne parviennent pas à arrêter. Cela peut sembler logique, mais en réalité il est plus difficile de se restreindre que d'arrêter complètement. Au lieu d'être débarrassés des symptômes de l'état de manque au bout de quelques jours, la mère et son bébé y sont donc soumis pendant neuf mois. De plus, l'illusion que chaque cigarette est extraordinairement précieuse s'enracine dans l'esprit de la jeune femme. Après l'accouchement, celle-ci se retrouve dans la même situation qu'une personne au régime qui perd le désir de se priver de nourriture : elle se lance dans une orgie de cigarettes !

J'expliquerai un peu plus loin dans ce chapitre quels sont les dangers d'une diminution de la consommation. Pour des informations complémentaires sur les rapports entre grossesse et tabagisme, je vous renvoie à mon livre *La Méthode simple pour les femmes qui veulent arrêter de fumer*.

Qui que vous soyez et quelle que soit votre situation particulière, je veux que vous arrêtiez de fumer afin de mieux profiter de la vie. Voici un adage dont vous ne pourrez qu'approuver le principe, même si la mise en pratique est plus compliquée : « Si vous avez un sérieux problème et si vous êtes en mesure d'agir pour le régler, faites-le ! Si vous n'y pouvez absolument rien, acceptez-le ! Ce n'est pas en vous rongeant les sangs que vous changerez quoi que ce soit. »

En tant que fumeur, vous avez un sérieux problème. Par bonheur, vous êtes en mesure d'agir pour le régler : EN ARRÊTANT DE FUMER ! Ensuite, vous vous rendrez compte, tout comme moi et comme des millions d'autres personnes, que vos autres ennuis disparaîtront pour la plupart.

Les fumeurs occasionnels

Notre époque est obsédée par la jeunesse. Alors que nos contemporains cherchent à retarder les effets du vieillissement tout en vivant à cent à l'heure, nous sommes bombardés de messages contradictoires sur ce que nous devons ou ne devons pas consommer. Quand j'étais petit, on me disait sans cesse : « Mange ta soupe » et « Chaque jour une pomme conserve son homme ». Sans oublier le conseil mille fois répété :

UN PEU DE TOUT, MAIS SANS EXCÈS

Autrement dit, il n'y a rien de mauvais pour l'organisme, à condition de ne pas abuser. C'est sans doute vrai pour beaucoup de choses, mais il n'est pas de conseil plus nuisible en ce qui concerne le tabac. Diriez-vous à un être cher : « Prends-toi une petite dose d'héroïne, ça ne peut pas te faire de mal » ?

Il existe deux raisons pour lesquelles les anciens fumeurs retombent dans l'addiction. D'abord, ils n'ont pas complètement détruit le lavage de cerveau, si bien qu'il subsiste un état de manque latent, presque imperceptible. Ensuite, ils finissent par avoir une telle confiance en eux qu'ils se sentent de taille à fumer une cigarette de temps en temps sans redevenir accros.

Toute personne qui a essayé de limiter sa consommation sait très bien que cela n'est possible qu'à titre provisoire, dans le meilleur des cas. Dans nos centres, nous insistons énormément sur ce point : il est inutile d'essayer de réduire sa consommation ou de fumer une cigarette de temps en temps, car cela ne marche pas.

Mais cette certitude a beau être renforcée par leur propre expérience, certains fumeurs redeviennent accros parce qu'ils se croient capables de maîtriser leur consommation. C'est la même illusion qui conduit les adolescents à fumer leur première cigarette et à tomber dans l'addiction. Pourtant, en dépit des raisons puissantes qui les poussent à rallumer « une seule cigarette », tous les anciens fumeurs s'en abstiendraient s'ils avaient conscience de se condamner ainsi à perpétuité.

IL EST IMPOSSIBLE DE FUMER UNE SEULE CIGARETTE.
SI VOUS NE VOULEZ PAS REDEVENIR ACCRO,
NE L'ALLUMEZ PAS !

Je n'ai jamais rencontré un grand fumeur qui n'envie pas les fumeurs occasionnels. Ceux-ci semblent contrôler la situation, profiter de chaque cigarette et ne subir aucune conséquence d'une consommation aussi réduite. C'est une illusion.

AUCUN FUMEUR NE CONTRÔLE LA SITUATION
LE PLAISIR N'ENTRE PAS EN LIGNE DE COMPTE
AUCUN FUMEUR N'EST HEUREUX DE FUMER
LA PROCHAINE CIGARETTE EST PEUT-ÊTRE
CELLE QUI VA VOUS TUER

Les fumeurs non accros

Balayons les mythes une bonne fois pour toutes, et en particulier celui du fumeur heureux et non accro. Il est exact que certains jeunes ne deviennent pas accros quand ils essayent leur première cigarette. Ce sont de petits veinards… Certains continuent à fumer une cigarette de temps en temps. Mais vous n'avez aucune raison d'être jaloux : après tout, ce que vous leur enviez, ce sont les cigarettes qu'ils ne fument pas ! À quoi sert d'allumer la première cigarette ? Si vous avez de la chance, vous ne tombez pas accro ; si vous n'en avez pas, vous devenez accro. Pile, vous ne gagnez rien ; face, vous perdez tout !

Vous croyez peut-être qu'il existe une alternative, une sorte de troisième voie idyllique : fumer de temps à autre sans souffrir d'aucune addiction. Dans ce cas, laissez-moi vous poser une question : pourquoi n'êtes-vous pas un fumeur non accro ? Et si vous prétendez en être un, pourquoi êtes-vous en train de lire ce livre ? Nous allons donc voir si vous désirez vraiment appartenir à cette catégorie de fumeurs.

Si je vous proposais de faire en sorte que vous puissiez fumer deux cigarettes par jour durant le reste de votre vie, seriez-vous d'accord ? Mieux encore, supposons que vous deveniez capable de contrôler votre consommation au point de pouvoir ou non fumer à volonté. Une offre alléchante, non ? Mais vous possédez déjà ce pouvoir ! Quelqu'un vous a-t-il déjà forcé à allumer une cigarette ? Vous fumez parce que vous le voulez bien, même si une partie de votre cerveau souhaiterait que vous vous en absteniez. Mais revenons-en à nos deux cigarettes par jour. Eh bien, si c'est vraiment ce que vous désirez, qu'est-ce qui vous en empêche ? Pourquoi n'avez-vous pas fumé deux cigarettes par jour depuis le début ? La réponse est évidente : parce que cela ne vous aurait pas suffi, pas plus qu'à n'importe quel fumeur.

C'est vrai, certaines personnes parviennent à se discipliner et à ne fumer que deux cigarettes par jour, mais croyez-vous que ce soit pour elles un plaisir de se rationner quotidiennement, et ce durant toute leur existence ?

NOUS AVONS TENDANCE À AUGMENTER NOTRE CONSOMMATION, PAS À LA DIMINUER

De nombreux facteurs réduisent votre consommation : le temps passé au travail et dans des lieux où il est interdit de fumer ; vos moyens financiers ; la résistance de votre organisme au poison ; les restrictions que vous vous imposez, etc. Ces facteurs vous empêchent de fumer à volonté. S'ils disparaissaient, la plupart des gens deviendraient très vite des fumeurs à la chaîne.

Vous enviez toujours les fumeurs occasionnels ? Très bien, dans ce cas nous allons examiner de plus près des cas concrets, en gardant toujours à l'esprit cette double vérité : tous les fumeurs regrettent d'avoir commencé, et ils se mentent à eux-mêmes tout comme ils mentent aux autres.

LES DOSSIERS D'ALLEN CARR : 1. LE MOURANT

> Un soir, très tard, j'ai reçu un coup de téléphone d'un homme qui m'a déclaré le plus sérieusement du monde : « Monsieur Carr, je veux arrêter de fumer avant de mourir. » Sa voix sonnait bizarrement. Il m'a expliqué que le tabac lui avait déjà coûté ses deux jambes, qu'il avait un cancer de la gorge, et que selon son médecin il ne lui restait que quelques mois à vivre s'il continuait à fumer. Incapable de se mettre « au régime sec » d'un seul coup, il avait opté pour une diminution progressive. Il était passé de deux paquets à cinq cigarettes roulées par jour, mais il ne parvenait pas à descendre au-dessous. « Vous avez choisi la pire méthode qu'on puisse imaginer, lui ai-je répondu. Fumez tant que vous voudrez pendant quelques jours, et ensuite venez me voir. »

Il a commencé à pleurer au bout du fil. Il avait dû s'imposer un an de supplices et de souffrances pour passer de quarante à cinq cigarettes quotidiennes, et cette débauche de volonté l'avait brisé. J'ai accepté de le voir le lendemain.

Rappelez-vous, c'est la peur qui maintient les fumeurs dans l'addiction, et plus ils se torturent, plus elle se renforce. Les restrictions apportées à votre consommation vous rendent encore plus nerveux, car elles augmentent l'illusion de plaisir en donnant plus de prix à chaque cigarette. Cela ne fait qu'aggraver votre panique, qui est l'un des pires obstacles à la communication.

Lors de la première séance, je n'ai pas réussi à établir de dialogue avec lui ; à l'évidence, il était obsédé par l'idée qu'il devait arrêter pour ne pas mourir. Mais durant la seconde séance il parvint à ouvrir son esprit, à comprendre le mécanisme du piège et à se libérer. L'un des points essentiels à ses yeux était la joie de ne plus subir l'emprise de la drogue. Quand il fumait deux paquets par jour, il avait à peine conscience de ce qu'il faisait, alors qu'en descendant à cinq cigarettes, sa vie entière était passée sous le contrôle de la nicotine.

Avant de me demander mon aide, il était allé consulter son médecin, lequel lui avait conseillé d'arrêter sous peine de mort. « Je sais, avait-il répondu. C'est pour ça que je viens vous voir. » Le médecin lui avait alors prescrit des gommes à mâcher contenant précisément le drogue à laquelle il s'efforçait désespérément d'échapper.

Vous croyez qu'il s'agit d'un cas exceptionnel ? Et que vous ne laisserez jamais votre situation se dégrader à ce point ? Cessez de vous raconter des histoires ! Tous les ans, des millions de fumeurs en arrivent à ce stade, et aucun d'entre eux n'aurait imaginé une pareille dégringolade. Et vous risquez de connaître le même sort si vous continuez.

Les amis et les proches de cet homme pensaient qu'il contrôlait la situation et s'en tenait facilement à cinq cigarettes quotidiennes. Jamais il n'aurait versé une larme en leur présence, jamais il ne leur aurait décrit son calvaire. Comme tous les fumeurs, il se sentait stupide et jouait un rôle afin de masquer ses faiblesses. Il mentait. Si seulement ces autruches voulaient bien sortir la tête du sable et avouer leur haine du tabagisme, l'affaire serait réglée en un rien de temps. Toute la difficulté vient de l'illusion selon laquelle le tabac apporterait du plaisir aux autres fumeurs.

LES DOSSIERS D'ALLEN CARR :
2. L'AVOCATE QUI SE SENTAIT COUPABLE

Un jour, j'ai reçu un appel d'une avocate qui souhaitait une séance particulière. Je lui ai expliqué que les séances de groupe étaient aussi efficaces et beaucoup moins chères. Mais elle a insisté et déclaré que le prix lui importait peu. Qu'y a-t-il d'étrange là-dedans ? me direz-vous. Simplement cela : elle fumait depuis douze ans, sans jamais dépasser deux cigarettes par jour.

Un véritable rêve pour tous les fumeurs. Mais là encore il s'agit d'une illusion. Nous nous imaginons que les fumeurs occasionnels contrôlent la situation. Les parents de cette dame étaient morts l'un et l'autre d'un cancer du poumon avant qu'elle ne commence à fumer, et elle avait fait le vœu de ne jamais fumer plus de deux cigarettes par jour.

Cette dame était terrifiée à l'idée de continuer à fumer et de contracter à son tour un cancer du poumon.

Mais plus sa consommation était réduite, moins le risque de maladie était élevé, et plus ses deux cigarettes prenaient de valeur à ses yeux. Le piège de la nicotine présente de nombreuses subtilités : plus vous fumez, plus vous avez envie de fumer ; moins vous fumez, plus vous avez envie de fumer ! C'est comme un type qui se retrouve ligoté : au moindre mouvement, la corde se resserre autour de son cou.

Vous croyez vraiment que cette avocate était une fumeuse heureuse ? En réalité, tout comme l'homme qui souffrait d'un cancer de la gorge, elle vivait un cauchemar. Depuis douze ans, elle était en état de manque nicotinique, mais sa peur du cancer lui donnait la force gigantesque nécessaire pour résister, hormis vingt minutes par jour. Elle détestait son statut de fumeuse. Les autres enviaient peut-être son attitude en apparence très détendue à l'égard des cigarettes, mais en fait elle menait un combat de tous les instants contre son addiction.

Diminuer votre consommation ?

Le tabagisme occasionnel et la diminution de la consommation augmentent la valeur que nous attribuons à chaque cigarette et affaiblit notre désir d'arrêter. Limiter le nombre de cigarettes est un moyen de ne pas arrêter, ou une façon d'arrêter progressivement plutôt que d'un seul coup.

Moi aussi, j'ai essayé de moins fumer

J'ai eu recours à toutes sortes de méthodes pour arrêter, mais mes innombrables échecs comportent aussi diverses tentatives pour limiter ma consommation. L'une des techniques les plus répandues consiste à supprimer les cigarettes routinières et à les réserver aux occasions festives. C'est ainsi que je me suis retrouvé au pub tous les soirs afin de pouvoir fumer ! Non seulement mon tabagisme se portait fort bien, mais l'alcoolisme me guettait ! Une idée géniale m'a alors traversé l'esprit : si je n'achetais plus de cigarettes, je deviendrais inévitablement un non-fumeur. Ce n'était pas vraiment une initiative originale : je savais que de nombreux fumeurs avaient employé cette méthode, sans résultats. Peut-être y avez-vous eu recours vous-même ? Mais mon trait de génie, c'était d'avoir identifié l'origine de ces échecs à répétition : les gens finissaient par se sentir coupables de parasiter leurs proches, et cette culpabilité les poussait au bout du compte à aller acheter un paquet. J'ai donc pris les devants et prévenu tous mes amis que s'ils m'offraient des cigarettes, je les accepterais sans me sentir coupable et sans me sentir obligé de leur rendre la pareille.

Les résultats ont dépassé mes attentes. Des gens qui ne m'avaient jamais offert une cigarette de leur vie sont venus me tendre leur paquet. Un comportement typique chez les toxicomanes. Quand vous avez désespérément besoin d'une dose, personne ne vous aide, mais dès que vous essayez de vous libérer, ils viennent tous vous souffler leur fumée dans la figure et vous mettre des cigarettes sous le nez. Au début, c'était formidable : je fumais gratuitement. Mais mes bienfaiteurs ont percé la ruse diabolique de mon plan, et ils ont cessé l'un après l'autre de m'approvisionner. Je n'ai bientôt plus eu qu'une seule fournisseuse : ma secrétaire. J'ai alors éprouvé à son égard des sentiments ambivalents, tout à fait caractéristiques du toxicomane. La moitié de mon cerveau haïssait la dealeuse, l'autre moitié aimait celle qui me sauvait la vie. Au bout de quelques semaines, la culpabilité m'a envahi, mais mon esprit rendu astucieux par l'addiction a concocté une solution. Comme elle ne pouvait pas continuer à m'offrir ses précieuses cigarettes, je n'avais qu'à lui acheter un paquet. C'est ainsi que trois mois plus tard je lui achetais tous les matins trois paquets d'une marque que je n'appréciais pas particulièrement, afin de pouvoir vivre à son crochet en toute bonne conscience. Et je continuais à me raconter que j'essayais d'arrêter !

Je me suis ensuite rabattu sur un grand classique : « Je vais me limiter à dix par jour. » Cela semblait me convenir à merveille, car si je fumais cigarette sur cigarette pendant la journée, je m'en passais facilement le soir. Il me suffirait donc de me restreindre à une cigarette par heure au cours de la journée. Une solution idéale : pas trop d'effets sur la santé, un budget raisonnable, et une petite récompense toutes les 60 minutes. Formidable, non ? Hélas ! je me suis retrouvé les yeux fixés sur la pendule, à compter les minutes. Je m'imposais une discipline de fer : j'allumais ma cigarette à 9 h 12, 10 h 12, 11 h 12, et ainsi de suite. Mais il m'arrivait parfois d'être debout, le filtre coincé entre les lèvres, le briquet à la main, en attendant que l'aiguille des secondes arrive à la verticale. Joli résultat, non ?

« J'ai une règle très stricte en matière de tabac. Je ne fume jamais plus de dix cigarettes par jour. Parfois, il m'arrive d'en prendre une ou deux sur la ration du lendemain, mais jamais je ne dépasse une moyenne de dix. La cigarette que

je suis en train de fumer en ce moment appartient à ma ration du 4 juillet 2046 ! »

Dave Allen, comédien

Nous avons vu que le tabagisme occasionnel et la diminution de la consommation n'amènent que des tortures supplémentaires. Mais qu'en est-il du fumeur occasionnel qui semble n'avoir aucun problème avec le tabac et n'en subir aucune souffrance ? Je veux parler des gens qui peuvent rester des semaines sans fumer, et qui se contentent d'une cigarette de temps en temps. N'est-ce pas le rêve que de pouvoir fumer une fois par semaine, une fois par mois, voire une fois par an ? Je leur ferai simplement la remarque suivante : « À quoi cela vous sert ? Retirez-vous vraiment un plaisir et un soutien de ces cigarettes épisodiques ? Si c'est le cas, pourquoi attendez-vous aussi longtemps avant de recommencer ? Qui a envie de patienter un an, un mois, ou même un jour pour obtenir un soutien ou un plaisir authentique ? »

Vous serez peut-être étonné d'apprendre que beaucoup de ces personnes fréquentent nos centres. Dans nos groupes, les fumeurs à la chaîne les envient et n'hésitent pas à le leur dire. Je demande alors à ces derniers : « À l'évidence, vous êtes jaloux de ces personnes qui fument cinq cigarettes par jour. Mais avez-vous essayé de fumer cinq cigarettes par jour ? » Ils me répondent souvent qu'ils ont effectivement tenté l'expérience. Et ils ajoutent invariablement : « C'était un cauchemar ! » Je demande ensuite aux fumeurs occasionnels s'ils ont l'impression de contrôler leur tabagisme. Comme ils se trouvent dans un centre destiné aux personnes désireuses d'arrêter de fumer, l'honnêteté les oblige à admettre qu'eux aussi ils endurent un calvaire. Les grands fumeurs commencent alors à comprendre qu'ils vivent tous dans le même enfer, que leur dégoût est le même, et qu'ils veulent tous se libérer avec le même acharnement.

Les gens qui restent des semaines sans fumer ne sont même pas victimes de l'illusion de plaisir et de soutien ; ils accomplissent les gestes du fumeur pour mieux se mettre dans l'ambiance. Souvenez-vous, nous avons tous commencé ainsi, en nous jurant de ne pas devenir accros. Mais la mouche qui volète autour de l'urne du népenthès finit toujours par tomber dedans.

Ma belle-mère ne fumait que lors des occasions festives jusqu'à l'âge de 60 ans. Elle a alors acheté un pub, et à l'époque il n'était pas interdit de fumer dans les lieux publics. Au bout de quelques mois, elle en était à trois paquets par jour. Elle est morte à 65 ans.

Les fumeurs épisodiques, comme tous ceux qui cherchent à diminuer leur consommation, se créent de nombreux problèmes :

1. Ils restent physiquement accros à la nicotine, ce qui fait que leur cerveau continue à avoir envie de fumer.
2. Ils gaspillent leur existence à attendre leur prochaine dose.
3. Au lieu de fumer quand ils en ont envie et de soulager en partie leur état de manque, ils se forcent à subir des souffrances supplémentaires et ne trouvent jamais le repos.
4. Ils consolident l'illusion selon laquelle le tabac procurerait du plaisir.

Quand vous fumez cigarette sur cigarette, vous perdez l'illusion du plaisir. Les gestes deviennent automatiques. Vos cigarettes « préférées », celles que vous appréciez le plus, succèdent toujours à une période d'abstinence : après un repas, à la sortie du travail, après l'amour, après un exercice physique, en sortant d'un grand magasin ou le matin au réveil.

C'est pourquoi le tabac ne procure aucune plaisir ni aucun soutien authentiques. Les cigarettes sont sales, répugnantes et toxiques. Les fumeurs apprécient uniquement le répit de leur envie de fumer.

La diminution de la consommation renforce l'illusion de plaisir, parce qu'une cigarette apparaît d'autant plus merveilleuse qu'on l'a longtemps désirée. Le mécanisme est identique à celui de la faim et de la soif. Vous m'objecterez peut-être : « Renforcer l'illusion de plaisir... Qu'y a-t-il de mal à cela ? » En fait, il ne s'agit nullement de plaisir, mais d'un répit dans l'aggravation constante de l'envie de fumer. Et le seul moyen d'augmenter l'illusion de plaisir consiste à augmenter l'envie de fumer. Aucun fumeur, pas même le fumeur occasionnel, ne se réjouit de son tabagisme. Et n'oubliez pas que le fumeur occasionnel finit en général par devenir un grand fumeur. L'addiction vous oblige à gratter la démangeaison pour ne plus souffrir, et vous avez donc tendance à fumer de plus en plus.

Le tabagisme occasionnel est une forme d'esclavage particulièrement cruelle, parce que vous devez sans cesse recourir à votre volonté et à votre autodiscipline pour limiter votre consommation, et que vous vous demandez en permanence à quel moment vous allez vous autoriser à fumer. Par-dessus le marché, vous devez accomplir tous ces efforts en croyant contrôler votre addiction.

DE NOMBREUX FUMEURS OCCASIONNELS N'ONT PAS CONSCIENCE D'ÊTRE PRIS AU PIÈGE. TOUTE ÉVASION EST DONC IMPOSSIBLE

L'accro à la nicotine a tendance à fumer à la chaîne car son organisme connaît un état de manque permanent. Si vous ne fumez que de temps en temps ou si vous réduisez votre consommation, vous essayez de résister à cette envie. Regardez la vérité en face : vous ne réussirez jamais à contrôler votre consommation.

La plupart des fumeurs savent d'expérience que toute tentative pour moins fumer est un jeu de dupes. Vous finissez toujours par fumer autant qu'avant, sinon davantage.

Heureusement, il est facile d'échapper au piège, et il n'y a donc aucune raison d'adopter des demi-mesures. Personne ne dépend de la nicotine et, une fois qu'on a compris le fonctionnement du piège, la volonté est inutile pour arrêter. Même si vous possédez une force de caractère suffisante pour vous restreindre jusqu'à votre dernier jour, à quoi bon souffrir quand il est si simple de se libérer ?

IL NE FAUT PAS CONFONDRE SOULAGEMENT ET PLAISIR

> Je compare souvent le plaisir que procure le tabac à l'absurdité qui consisterait à porter exprès des chaussures trop petites pour avoir la jouissance de les retirer. À votre avis, qui souffre le plus : celui qui peut ôter ses souliers toutes les demi-heures, ou bien celui qui doit les garder au pied toute la journée ? Contrairement aux occasionnels, les grands fumeurs ont au moins l'avantage de soulager leur état de manque à intervalles réguliers.

Les fumeurs intermittents

Les grands fumeurs jalousent les occasionnels. Pourtant, le sort de ces derniers n'a rien d'enviable : ils ne peuvent jamais fumer autant qu'ils le voudraient, et ne jouissent pas non plus du bonheur d'être libres.

Il en est de même pour les intermittents, ceux qui arrêtent régulièrement de fumer pour recommencer un peu plus tard. On a tendance à les assimiler aux occasionnels, mais en réalité ce sont souvent de grands fumeurs.

On considère trop souvent les intermittents comme des privilégiés qui ont la chance de pouvoir arrêter et recommencer à volonté, et non comme de pauvres types assez stupides pour retomber sans cesse dans le même piège. Bien entendu, ils n'ont pas plus envie de passer pour des crétins que vous et moi, et c'est pourquoi ils s'abritent derrière cette réputation de petits veinards. Mais c'est un pur mensonge.

Soyons logique. S'ils aimaient vraiment fumer, pourquoi passeraient-ils leur temps à arrêter ? Tout simplement parce qu'ils voudraient ne plus fumer, comme tous les autres esclaves de la cigarette. Une fois qu'ils ont arrêté, pourquoi changent-ils d'avis et décident-ils de recommencer ? Il n'y a qu'une seule réponse possible : parce qu'ils souffrent de ne plus fumer.

Vous parlez d'une vie de chien ! Avec ou sans tabac, ils sont toujours malheureux. Quand ils fument, ils envient les non-fumeurs. Ils s'imposent un sevrage douloureux grâce à la méthode fondée sur la volonté, mais comme le statut de non-fumeur ne leur convient pas non plus, ils replongent dans le tabagisme. Et le cycle infernal est reparti pour un tour…

Rappelez-vous : afin de devenir une bonne fois pour toutes un non-fumeur heureux, vous devez acquérir un certain état d'esprit. Si vous pensez accomplir un sacrifice, vous aurez beau vous abstenir, vous ressentirez un manque. Si vous considérez qu'une seule bouffée de tabac peut vous procurer un plaisir ou un soutien, vous resterez vulnérable toute votre vie. Si vous avez envie d'une cigarette, qu'est-ce qui vous empêchera d'en désirer une deuxième, puis une troisième, et ainsi de suite ?

Vous vous dites peut-être : « Puisque la Méthode simple d'Allen Carr rend le sevrage très facile, il n'y a aucun risque à fumer une cigarette de temps en temps. Même si je redeviens accro, j'utiliserai sa méthode pour arrêter de nouveau. » Ma réponse est très claire : « Si vous éprouvez le besoin ou l'envie de tirer une seule bouffée de tabac, c'est que vous n'avez rien compris à la Méthode simple. »

Le but ultime de ma méthode est d'éradiquer tout désir de tirer ne serait-ce qu'une seule bouffée, parce que cette bouffée ouvrira la voie à un million d'autres. Quand bien même vous arriveriez à ne pas passer à l'acte, la simple envie de le faire suffirait à vous condamner à devenir un non-fumeur malheureux ! Et puis le jour viendra où vos réserves de volonté s'épuiseront et où le non-fumeur malheureux se transformera en fumeur encore plus malheureux !

Cela nous amène à aborder la catégorie la plus pitoyable :

Les fumeurs honteux

Parmi les aspects les plus troublants du tabagisme, quel est le plus insupportable ? Je pense par exemple à ces personnes arrivées à un stade avancé d'emphysème pulmonaire, et qui vous donnent envie de respirer à leur place. Ou à ce fumeur qui vient d'être amputé d'une jambe et qui vous répète que cela n'a absolument rien à voir avec la cigarette. Ou encore à ces patients qui viennent d'apprendre qu'ils ont contracté un cancer du poumon, et qui tentent de se convaincre, et de convaincre les autres, que cela en valait la peine, tant les cigarettes leur ont apporté de plaisir.

Cependant, le cas le plus pathétique est celui des fumeurs honteux. Comme ils ont promis à leurs proches d'arrêter et qu'ils en sont incapables, ils se réfugient dans le mensonge. Ce n'est déjà pas très brillant de rompre le serment qu'on a fait à un être cher, mais être obligé de mentir pour masquer sa faiblesse constitue l'humiliation suprême.

Quand vous fumez au grand jour, vous pouvez au moins prétendre que c'est votre choix. Quand vous vous cachez, vous devez vous avouer à vous-même que vous n'êtes qu'un pitoyable esclave de la nicotine, et vous êtes amené à vous mépriser durant toute votre vie. Bien qu'on m'ait inculqué très jeune le culte de l'honnêteté, j'ai moi aussi fumé en cachette. Non seulement je mentais aux personnes qui m'aimaient et qui avaient confiance en moi, mais le plus lamentable, c'est que je me persuadais qu'elles croyaient mes mensonges, qu'elles ne voyaient pas les taches jaunâtres qui maculaient mes doigts, mes lèvres et mes dents, qu'elles ne sentaient pas ma mauvaise haleine ni l'odeur rance de tabac froid qui imbibait mes cheveux et mes vêtements. En mon for intérieur, je savais que personne n'était dupe, sauf moi. Les fumeurs ne se mentent pas parce qu'ils sont intrinsèquement malhonnêtes, mais parce que l'addiction les a rendus ainsi.

À QUOI BON SE CACHER ?

Les histoires que nous racontent nos patients sont souvent amusantes. Je me rappelle un couple qui avait décidé d'arrêter en même temps avec une grande détermination. Ils avaient jeté tous les cendriers à la poubelle et repeint leur maison. Cette tentative ayant échoué, ils viennent dans un de nos centres, et le mari avoue à sa femme que pendant toute la durée de l'expérience il a fumé en cachette par la fenêtre de la cuisine. Alors sa femme lui répond : « Oh, je sais bien ! Je te voyais parfaitement quand je fumais en douce par la fenêtre de la chambre au premier étage !

D'autres histoires sont tragiques, comme celle de cette mère qui décide d'arrêter sous la pression de sa fille de 7 ans : « Maman, je ne veux pas que tu meures. » Elle recourt à la méthode fondée sur la volonté et, comme toujours, adopte un compromis : elle s'autorisera une petite récompense en fin de journée. Un soir, sa fille traîne des pieds pour aller se coucher. La mère est très énervée, car elle meurt d'envie d'allumer une cigarette. Quand la fillette s'est enfin endormie, elle se précipite dans la cuisine. Elle vient à peine d'allumer sa cigarette lorsqu'une petite voix s'élève derrière elle : « J'espère que tu ne fumes pas, maman ? » Quand j'étais petit, les enfants surpris en train de fumer se faisaient tirer les oreilles par leurs parents ; aujourd'hui ce sont les enfants qui réprimandent leurs parents…

Les fumeurs se retrouvent souvent dans des situations très embarrassantes. Un de mes patients était en visite au Canada chez sa belle-mère non fumeuse. Sous prétexte d'aller respirer un bol d'air, il sort fumer en cachette par – 20 °C. Il est adepte de ces affreux petits cigares équipés d'un embout en plastique. Lorsque sa belle-mère vient lui ouvrir la porte, le plastique a gelé, de sorte qu'il a toujours l'embout collé entre les lèvres… Ah, les joies ineffables du tabagisme !

Le fumeur honteux a beau mentir aux autres et se mentir à lui-même, en son for intérieur il est conscient de la douloureuse vérité : il n'est qu'un esclave pathétique de la nicotine, un pitoyable toxicomane.

Toutes les catégories de fumeurs répertoriées dans ce chapitre rêveraient de n'avoir jamais commencé. Ne les enviez surtout pas. Car ils voudraient tous se réveiller un beau matin dans la situation que vous connaîtrez en lisant la dernière page de ce livre : LIBRE COMME L'AIR.

Résumé

- Les fumeuses ne sont pas des cas particuliers.
- Nous avons tendance à fumer de plus en plus.
- Les fumeurs occasionnels sont en permanence sur le fil du rasoir.
- Diminuer sa consommation ne sert à rien.
- Les fumeurs intermittents sont de perpétuels insatisfaits.
- Les fumeurs honteux sont les plus pitoyables de tous.
- Tous les fumeurs voudraient être libres.

CHAPITRE 14

DES QUESTIONS BRÛLANTES

DANS CE CHAPITRE

• COMMENT SAURAI-JE QUE J'AI FUMÉ MA DERNIÈRE CIGARETTE ? • QUAND SERAI-JE DEVENU UN NON-FUMEUR ? • LA LIBERTÉ TOTALE EST-ELLE POSSIBLE ? • PEUT-ON PROFITER DE LA VIE SANS CIGARETTES ? • QUE FAIRE EN CAS DE CRISE ? • ADDICTION OU DÉPENDANCE ?

LE FACTEUR PEUR

À cause du lavage de cerveau, les fumeurs craignent de ne plus pouvoir profiter de la vie sans cigarettes.

Les fumeurs sont terrifiés à l'idée de devoir beaucoup souffrir pour arrêter, et ensuite de ne plus pouvoir profiter de la vie ni surmonter les épreuves sans cigarettes. Ce qui les conduit à repousser sans cesse le moment fatidique : « Oui, je vais arrêter, mais pas aujourd'hui. »

Depuis toujours on nous serine que le tabac procure du plaisir et qu'il est incroyablement difficile d'y renoncer. Ces mythes sont tellement enracinés dans notre esprit que nous avons peine à croire qu'il est facile d'arrêter.

Dans nos centres, nous obtenons une grande variété de réponses à la question suivante : « Comment saurez-vous que vous êtes devenu un non-fumeur ? »

« Lorsque je serai capable d'aller boire un verre avec des amis ou de faire un bon repas sans avoir envie de fumer. »

« Quand j'aurai réussi à tenir une journée entière sans cigarette. »

« Lorsque je sentirai que je suis un non-fumeur. »

Toutes ces réponses partent du principe qu'un ancien fumeur ressent obligatoirement un manque et ignore combien de temps cette impression persistera.

LA DERNIÈRE CIGARETTE

> Vous devenez un non-fumeur à l'instant précis où vous écrasez votre dernière cigarette. Comment savez-vous que c'est la dernière ? Pensez à la joie que l'on éprouve en étant reçu au permis de conduire : bien que cela ne fasse pas de vous un meilleur conducteur, vous savez au moins que vous pouvez désormais conduire en toute légalité. Pour conquérir sa liberté, il ne suffit pas d'essayer ou d'espérer : il faut être certain de ne plus jamais fumer la moindre cigarette. Dans le cas contraire, vous vous condamnez à une vie de tortures. Imaginez que vous vous croyiez atteint par une maladie mortelle. Vous passez des examens, et les résultats seront disponibles dans une semaine. Si vous deviez attendre un mois, ou un an, ce serait encore pire. Maintenant, imaginez que vous deviez attendre les résultats durant toute votre existence. Tel est le sort infligé aux anciens fumeurs qui ne sont pas sûrs d'être complète-

ment sevrés. Quoi qu'ils fassent, cette incertitude ne les quittera jamais. Ils passent le restant de leurs jours à attendre quelque chose qui n'arrivera jamais.

Voilà pourquoi les fumeurs qui recourent à la force de volonté sont si malheureux. C'est leur vie entière qui est ainsi gaspillée. L'illusion selon laquelle un ancien accro ne se libérerait jamais totalement – « Fumeur un jour, fumeur toujours » – est à l'origine de la prétendue « personnalité addictive ».

Pourquoi continuer à fumer alors que nous savons que le sort des non-fumeurs est de très loin préférable, et que nous étions tout à fait en mesure de profiter de la vie et de contrôler notre stress avant de commencer à fumer ? Bien que des millions de personnes aient réussi à se libérer, nous doutons encore de notre capacité à en faire autant.

IL FAUT Y CROIRE POUR RÉUSSIR

Mettez-vous bien ceci en tête : une fois libre, vous ne regretterez pas vos cigarettes, vous profiterez davantage de la vie, et vous serez mieux armé pour affronter le stress.

COMPRENDRE POUR BALAYER LES ILLUSIONS

Vous pensez peut-être avoir déjà tout compris : si c'est le cas, ne brûlez pas les étapes. Vous avez peut-être encore des doutes : dans ce cas, ne vous inquiétez pas, tout va bientôt s'éclaircir. À condition de prendre le temps de lire ce livre jusqu'à la dernière page.

Croire qu'il est très difficile d'arrêter de fumer n'a rien d'inhabituel ni de stupide. En effet, la société nous lave le cerveau avec cette idée, et celle-ci est confirmée par l'exemple des fumeurs qui recourent à la méthode fondée sur la volonté. Nos propres tentatives avortées contribuent encore à renforcer cette illusion : nous sommes bien placés pour savoir que le sevrage n'est pas une opération aisée. L'irritabilité et la souffrance qui accompagnent la méthode fondée sur la volonté sont aussi réelles que la panique qui nous gagne lorsque nous tombons en panne de cigarettes.

Pour peu qu'on nous oblige à réfléchir un peu, le tabagisme nous apparaît illogique. Bien que nous ne comprenions pas pourquoi nous sommes aussi accros, la peur qui s'empare de nous en cas de manque peut s'expliquer : notre cerveau conditionné nous dit que seule une cigarette est capable de soulager la sensation de malaise et de vide que nous éprouvons lorsque la nicotine s'évapore de notre organisme. Une fois que vous avez compris que le tabac, loin de soulager cette sensation, en est la cause, vous n'avez plus de raison d'être paniqué. Si vous avez encore des doutes à ce sujet, relisez le chapitre 1.

La méthode fondée sur la volonté cherche à combattre cette panique, et au début, quand votre détermination est intacte, elle s'avère souvent efficace. Mais votre volonté finit pas s'user et vos bonnes résolutions par s'affaiblir, de sorte que la petite voix qui vous répète « Je veux une cigarette » résonne de plus en plus fort dans vos oreilles. Vous vous retrouvez alors devant un dilemme : vous êtes toujours déterminé à arrêter, mais une partie de votre cerveau vous pousse à allumer une cigarette.

La schizophrénie des fumeurs se révèle au grand jour dans nos centres. Sur nos questionnaires, certaines personnes écrivent : « J'apprécie le fait de fumer, mais je déteste le tabagisme. » Ou bien : « J'apprécie le fait de fumer, mais j'ai horreur d'être un fumeur. » Vous imaginez un pêcheur à la ligne qui déclarerait : « J'apprécie le fait de pêcher, mais je déteste la pêche » ?

La confusion est telle que les gens pensent sincèrement que fumer et être un fumeur sont deux choses différentes. C'est pourtant clair : si vous fumez, vous êtes un fumeur ! Quant au non-fumeur, il se définit en fonction d'un critère unique : il ne fume jamais !

Il est étonnant de constater à quel point la méthode fondée sur la volonté produit des doutes, des mouvements d'humeur et des souffrances. Mais le contraire serait miraculeux.

Les bons moments

Les fumeurs croient que la cigarette leur procure un plaisir et un soutien. Ce sont en réalité les deux facettes d'une même illusion. Commençons par le plaisir. Les fumeurs craignent de regretter certaines cigarettes « particulières », la plus commune étant celle qui suit un repas. Le cas d'un de nos patients résume à merveille ce phénomène. Il était intelligent, attentif, déterminé à arrêter, et je pensais qu'une seule séance lui suffirait, comme à la plupart des personnes qui fréquentent nos centres.

Il paraissait satisfait en nous quittant, mais neuf mois plus tard il m'a rappelé au téléphone : « Monsieur Carr, cela vous dérangerait beaucoup si je revenais vous voir ? Il était persuadé d'avoir compris le mécanisme du piège, et à en juger par notre conversation, celui-ci n'avait plus de secret pour lui. Il n'avait pas fumé une seule cigarette depuis neuf mois et ne ressentait aucun symptôme physique de l'état de manque (ces derniers disparaissent au bout de quelques jours). Mais il éprouvait une sensation que j'ai décrite plus haut : il attendait « que quelque chose se produise ». Une remarque apparemment anodine, prononcée au moment où nous nous disions au revoir, m'a mis sur la voie.

Je venais de lui dire que j'organiserais une séance à Paris le printemps suivant, quand il s'est écrié : « J'ai du mal à accepter l'idée que je ne pourrai plus jamais écouter un air d'accordéon sous le soleil de Paris, assis à une terrasse de café, un verre de vin dans une main et une Gauloise dans l'autre, en suivant du regard les passants. » Il venait de décrire ce que de nombreux fumeurs considèrent comme le petit coin de paradis idéal pour une de leurs cigarettes particulières. Je lui ai répondu : « La dernière fois que vous vous êtes trouvé dans cette situation, tiriez-vous consciemment sur votre Gauloise en vous répétant que la fumée qui entrait dans vos poumons avait quelque chose de paradisiaque ? »

À ma stupéfaction, il m'a expliqué qu'il n'était jamais allé à Paris et n'avait jamais fumé de Gauloises ! Tel est le pouvoir du lavage de cerveau : il ne se rendait pas compte que son rêve n'était qu'un mythe. Durant mon séjour à Paris, je me suis assis sur une terrasse ensoleillée, j'ai écouté un air d'accordéon et j'ai suivi du regard les passants, un verre dans une main… et l'autre main vide. Un moment d'autant plus merveilleux que je ne ressentais pas la moindre envie de m'étouffer avec des fumées toxiques.

Une habitude répugnante

Quand vous vous retournez sur votre passé de fumeur, je suis sûr que vous vous souvenez d'avoir souvent trouvé à vos cigarettes un goût bizarre, rance ou carrément répugnant. Je me rappelle pour ma part m'être plus d'une fois étouffé ou avoir été pris de violentes quintes de toux. Sans parler de mon embarras devant le regard perplexe des non-fumeurs.

En revanche, aucune cigarette parmi les centaines de milliers que j'ai fumées ne m'a amené à m'exclamer : « Je suis au paradis ! » ou bien « J'ai vraiment de la chance d'être un fumeur ! » Je me souviens plutôt des repas et des réunions qui me mettaient au supplice parce que je ne pouvais pas fumer, et du soulagement que j'éprouvais lorsqu'enfin je pouvais en allumer une, mais c'est une autre histoire…

Si vous êtes honnête, vous reconnaîtrez que le seul moment où vous êtes conscient de votre tabagisme, c'est quand vous avez envie de fumer mais que cela vous est interdit, ou bien quand vous avez une cigarette aux lèvres mais que vous voudriez ne pas l'avoir allumée. Vous devez donc absolument balayer le lavage de cerveau qui vous serine qu'on ne peut pas jouir de certaines situations sans une cigarette.

L'homme qui rêvait des terrasses parisiennes avait compris comment l'addiction à la nicotine fait croire aux fumeurs que le tabac leur procure un plaisir ou un soutien, mais il n'avait pas établi de lien entre cette vérité et sa vie quotidienne. Il ne s'était pas complètement affranchi du lavage de cerveau

Vous devez analyser ces circonstances particulières et comprendre pourquoi la cigarette semble les rendre encore plus agréables, alors qu'en réalité c'est l'inverse. Au lieu d'entretenir l'illusion en vous disant : « Je ne pourrai pas profiter de tel ou tel moment privilégié sans une cigarette », remettez les choses à l'endroit :

C'EST FORMIDABLE, JE VAIS POUVOIR PROFITER DE CE MOMENT SANS ÊTRE OBLIGÉ DE M'ASPHYXIER AVEC DES FUMÉES TOXIQUES !

Les passages à vide

Après le plaisir, examinons l'autre facette de l'illusion : le soutien. Effectivement, la cigarette semble nous aider à atténuer le stress. Je ne parle pas des deuils ni des autres épreuves très douloureuses, mais des petits ennuis qui parsèment notre vie quotidienne. Prenons la panne de voiture. Il fait nuit, il pleut des cordes, vous vous trouvez sur un tronçon très dangereux de l'autoroute, votre portable n'a pas de réseau et les autres conducteurs, au lieu de s'arrêter pour vous proposer un coup de main, foncent à 130 kilomètres à l'heure en vous aspergeant d'eau et en vous klaxonnant, comme si vous aviez décidé de vous ranger sur le bas-côté par pur caprice.

Dans ce genre de circonstances, le fumeur sort automatiquement son paquet de cigarettes. Mais si vous avez arrêté de fumer, cela devient un vrai défi. Vous êtes partagé entre le désarroi et la colère : « Ah, si seulement je pouvais allumer une cigarette ! » Pourtant, rappelez-vous la dernière fois que vous avez été confronté à une situation de ce type quand vous fumiez encore. Le tabac a-t-il résolu votre problème ? Vous êtes-vous écrié avec allégresse : « Je m'en fiche d'être frigorifié, trempé jusqu'aux os et en retard pour un rendez-vous d'une extrême importance, car au moins j'ai la chance de fumer cette merveilleuse cigarette ! » ? Je ne suis pas certain que cette dernière ait changé grand-chose à votre cauchemar…

Confrontées à une situation de ce genre, les personnes qui ont arrêté de fumer grâce à leur force de volonté commencent instinctivement à chercher leur paquet de cigarettes. Elles ne se rendent pas compte que le tabac ne ferait qu'aggraver les choses. La seule solution consiste à réagir comme les non-fumeurs, autrement dit à accepter qu'il y ait des hauts et des bas dans la vie : si ce type d'incident vous donne envie de fumer, vous ne faites que regretter une illusion, vous vous noyez dans un mirage, et vous créez un vide de toutes pièces. Ne vous leurrez pas : la disparition des cigarettes ne provoquera aucun vide dans votre existence.

LES CIGARETTES NE COMBLENT PAS UN VIDE, ELLES LE CRÉENT

Pour les anciens fumeurs qui n'ont pas conscience de cette vérité, les bons jours se transforment en mauvais jours, et les mauvais jours en cauchemars. Avec la Méthode simple d'Allen Carr, vous obtenez le résultat inverse. Si vous traversez une mauvaise passe, dites-vous : « Bon, ce n'est pas terrible aujourd'hui, mais au moins je ne suis plus l'esclave de la nicotine. » Si vous êtes dans un bon jour, dites-vous : « Quel bonheur d'être vivant, et par-dessus le marché d'être un non-fumeur ! »

REGARDEZ LA VIE EN FACE

En dehors des pannes, accidents et autres événements imprévus, des situations banales risquent de déclencher l'envie de fumer si vous n'y êtes pas préparé. Plutôt que d'attendre passivement en espérant que d'ici là vous aurez perdu vos réflexes de fumeur, anticipez-les et armez-vous mentalement. Je pense par exemple aux déménagements, aux fêtes de Noël, aux mariages, aux vacances ou aux enterrements. Vous attachez peut-être une importance particulière à d'autres situations ; dans ce cas, demandez-vous lesquelles pourraient jouer un rôle de déclencheur, et neutralisez par avance le lavage de cerveau.

« J'ai arrêté de fumer après avoir lu le livre d'Allen Carr. Tous ceux qui lisent son livre arrêtent de fumer ! »

Ellen DeGeneres

Addiction ou dépendance

Les soi-disant experts en toxicomanie utilisent des termes qui causent de nouveaux problèmes aux drogués. Ainsi, le verbe « renoncer » sous-entend qu'il faut consentir un sacrifice. Je pense également au mot « dépendance ». Vous ne pouvez dépendre que d'une substance indispensable à votre survie. Personne ne dépend de la nicotine, de l'alcool, de l'héroïne ou de la cocaïne : c'est un effet de l'imagination. En employant le terme « dépendance », les médecins et autres experts autoproclamés renforcent le lavage de cerveau et les peurs des toxicomanes.

Il ne faut donc pas confondre « addiction » et « dépendance ». Bien que la survie des diabétiques dépende de l'insuline, cela n'en fait pas des toxicomanes. Ils ont une bonne raison de recourir à ce produit et gardent le contrôle. L'addiction, c'est l'inverse : tous les fumeurs, y compris les occasionnels, sont accros à la nicotine, n'ont aucune raison rationnelle d'en consommer, et ne contrôlent rien.

L'addiction à la nicotine est fondée sur l'illusion selon laquelle le tabac procurerait du plaisir et soulagerait le stress. Une fois l'illusion dévoilée, il est facile de se libérer.

Résumé

- Il faut éradiquer le lavage de cerveau.
- Une fois que vous aurez compris la Méthode simple d'Allen Carr, vous n'aurez plus la moindre envie de fumer.
- Les cigarettes ne créent pas de bons moments et n'apportent aucune aide dans les mauvais jours.
- Le non-fumeur profite mieux de la vie et maîtrise son stress plus efficacement.
- Personne ne dépend de la nicotine.

CHAPITRE 15

VOUS N'AVEZ RIEN À CRAINDRE

DANS CE CHAPITRE

• LA PEUR VOUS MAINTIENT ACCRO • LA CIGARETTE EST VOTRE ENNEMIE • QUAND L'ENVIE DISPARAÎTRA-T-ELLE ? • COMMENT MAÎTRISER LES FACTEURS DÉCLENCHEURS

LA VÉRITÉ EN FACE

Avant d'arrêter de fumer pour de bon, nous devons comprendre pourquoi nous restons pris au piège.

Si vous comparez les avantages et les inconvénients du tabac à n'importe quelle étape de votre vie, vous parviendrez toujours à la même conclusion : « Je suis un crétin ! » Alors pourquoi continuez-vous à fumer ? Personne ne vous force. Pourquoi ne pas regarder la vérité en face ?

La PEUR est la source de tous les maux. Elle se nourrit de l'ignorance et s'infiltre dans notre esprit chaque fois que nous nous retrouvons dans une situation inhabituelle.

À l'intérieur de votre organisme, le Petit Monstre de la nicotine réclame sa dose en permanence et entraîne un léger désagrément physique. Bien qu'à peine perceptible, celui-ci déclenche le Grand Monstre dans votre esprit : « Je veux une cigarette. » Dès lors, vous souffrez chaque fois que vous en êtes privé, ce qui suscite une appréhension pouvant aller jusqu'à la panique. C'est la peur qui vous pousse à continuer à fumer envers et contre tout, c'est elle qui verrouille les portes de votre prison.

Quand ils téléphonent pour s'inscrire à une séance, nos patients ont la bonne surprise d'apprendre qu'il n'ont nul besoin d'essayer d'arrêter ou de réduire leur consommation avant le rendez-vous. Leur étonnement et leur soulagement augmentent encore lorsque nous leur disons de se munir de plusieurs paquets de leur marque favorite, puisqu'ils seront autorisés à fumer durant la séance.

Avant que nous n'introduisions des pauses cigarette, nos salles de réunions étaient abominablement enfumées, au point que certains fumeurs endurcis se plaignaient de cette tabagie. De nombreux patients étaient persuadés qu'il s'agissait d'une technique thérapeutique visant à les dégoûter. Cela dit, si l'on pouvait combattre efficacement le mal par le mal, je n'hésiterais pas à y recourir.

Quand nous affirmons que le tabac ne leur procure aucun avantage, les patients nous regardent d'un air perplexe, comme s'ils pensaient : « Dans ce cas, pourquoi nous dire de continuer à fumer jusqu'à la dernière cigarette ? »

La première raison est la suivante : il est plus facile de balayer les illusions, les mythes et les idées fausses avant votre libération, afin que vous puissiez les soumettre à l'épreuve sur-le-champ – par exemple le mensonge selon lequel le goût de la cigarette serait agréable. Pourquoi ne pas allumer une cigarette, tirer cinq ou six bouffées, et vous demander en quoi cette fumée vous plaît ? Si vous êtes honnête, vous admettrez qu'elle ne vous apporte strictement rien !

DÉTENDEZ-VOUS !

Les fumeurs éprouvent le besoin de fumer lorsqu'ils sentent la nicotine s'évaporer dans leur organisme. En cas d'impossibilité, ils deviennent agités et distraits. Comme nous l'avons vu, ce manque de concentration résulte de la frustration : ils voudraient fumer mais en sont empêchés. Bref, on ne les laisse pas gratter leur démangeaison. Pour que nos patients s'imprègnent de cette vérité, nous les laissons fumer jusqu'au bout.

Une fois qu'ils ont compris que seule la peur les retient, certaines personnes tentent de la maîtriser en se disant qu'ils pourront toujours recommencer à fumer s'ils en ont envie, que leur décision n'est pas définitive.

Hélas ! Ce genre d'attitude initiale mène tôt ou tard à l'échec. Il vaut mieux arriver avec la certitude de parvenir à la liberté. Mais pour obtenir cette certitude, nous devons d'abord neutraliser la peur.

Certaines craintes instinctives nous protègent des chutes, du feu, de la noyade, et ainsi de suite. Elles s'inscrivent dans une logique de survie.

La peur d'arrêter de fumer, en revanche, n'est pas une appréhension enracinée dans notre patrimoine génétique à des fins de protection.

SI VOUS AVEZ PEUR D'ARRÊTER DE FUMER, C'EST PARCE QUE VOUS AVEZ COMMENCÉ

Pour maîtriser cette peur, ouvrez votre esprit et abordez la question de manière détendue, logique et rationnelle. Alors elle disparaîtra, et vous deviendrez définitivement un non-fumeur à l'instant précis où vous éteindrez votre dernière cigarette.

La décision vous appartient

Nous avons vu que la clef du succès consiste à balayer tous les doutes. Vous vous demandez peut-être s'il est possible d'être sûr et certain qu'un événement *ne se produira pas*. Après tout, même s'il est infime, personne ne peut exclure le risque d'être touché par un météorite. Je vous répliquerai que les anciens fumeurs possèdent un avantage considérable sur les victimes de météorites : on est sans défense contre un objet qui tombe du ciel, alors que le tabagisme dépend d'une décision individuelle. Le danger ne peut venir que de vous-même.

QUESTION :
POURQUOI ALLUME-T-ON UNE CIGARETTE ?
RÉPONSE : PARCE QU'ON LE DÉCIDE

Le jour où j'ai éteint ma dernière cigarette, je savais que je ne retomberais jamais accro et que n'importe qui pouvait conquérir cette liberté. Vous devez uniquement faire en sorte de ne plus jamais penser : « Je veux une cigarette. » Pour y parvenir, vous devez assimiler trois points capitaux :

1. Les cigarettes ne vous apportent strictement rien. Quand vous aurez compris et accepté cette vérité, vous ne ressentirez plus aucun manque.
2. Vous n'avez pas besoin d'une période transitoire (souvent appelée à tort période de sevrage) pour supprimer complètement l'envie de fumer. Cette envie est mentale, et non pas physique, et elle aura disparu lorsque vous aurez achevé la lecture de ce livre.
3. Il est impossible de ne fumer qu'une seule cigarette, ou une cigarette de temps en temps. Sortez une bonne fois pour toutes de ce répugnant cercle vicieux !

Certains fumeurs ont du mal à croire que le choix d'avoir ou non envie de fumer est entre leurs mains. Ils sont entravés par l'idée fausse selon laquelle, en matière de désir, les hommes seraient impuissants.

Heureusement, ils se trompent. Votre organisme continuera à ressentir un état de manque nicotinique pendant quelques jours après le sevrage, mais cela ne signifie pas que vous en souffrirez ni que vous aurez envie d'une cigarette.

L'organisme est incapable d'avoir envie de nourriture, d'eau ou de repos. En revanche, il est capable d'éprouver la faim, la soif ou la fatigue, et d'envoyer un message au cerveau afin que celui-ci réagisse en conséquence. Mais durant votre sommeil, votre cerveau n'enregistre aucun de ces messages et ne ressent donc aucune envie. Seul votre esprit conscient peut avoir envie de quelque chose, car il s'agit d'un processus mental.

Chaque fumeur a le pouvoir de décider si oui ou non il désire une cigarette. Des illusions – conscientes et inconscientes – peuvent l'influencer, mais cette envie est consciente et contrôlable. Il n'existe aucune envie d'ordre physique.

C'est le recours à la force de volonté qui nous fait croire qu'il est impossible d'échapper à l'envie de fumer. En effet, quand nous utilisons cette méthode, nous essayons de chasser la cigarette de notre esprit, si bien qu'elle finit par nous obséder.

Il n'y a rien de plus stupide que de s'efforcer de ne pas penser à quelque chose. Si je vous dis : « Chassez les éléphants de votre esprit », à quoi pensez-vous immédiatement ?

Vous vous inquiétez pour rien

De nombreux fumeurs s'imaginent qu'ils ne seront jamais entièrement libres. J'étais convaincu que la cigarette était mon amie, celle qui me donnait de l'assurance et du courage, presque un élément de mon identité. En arrêtant, j'avais peur de perdre non seulement une compagne, mais une partie de moi-même.

Quand vous perdez un ami, vous portez son deuil. Bien sûr, vous surmontez la tragédie, et la vie reprend le dessus, mais il vous reste un vide authentique qui ne sera jamais comblé. Cependant, vous n'y pouvez rien, vous êtes obligé de vous faire une raison.

Quand les fumeurs, les alcooliques, les héroïnomanes et les autres toxicomanes réussissent le sevrage grâce à la méthode fondée sur la volonté, ils ont l'impression d'avoir perdu un ami. Ils savent qu'ils ont pris la bonne décision, mais ils éprouvent un sentiment de sacrifice et de vide. Même si c'est une erreur, ils croient que ce vide est authentique, ce qui revient au même. En outre, cet ami présente la particularité d'être toujours vivant ! Et l'industrie du tabac, les autres fumeurs, la société en général mettent tout en œuvre pour que ces Pleurnicheurs soient soumis à la tentation du matin au soir, et ce pour l'éternité.

Pourtant, vous n'avez aucune raison de porter le deuil de la cigarette. Vous devriez plutôt vous réjouir de sa mort et célébrer cet événement pendant toute la durée de votre existence. Soyons clairs : la cigarette n'est pas votre amie et ne l'a jamais été. Elle a été votre pire ennemie. Vous ne sacrifiez rien, vous gagnez sur toute la ligne.

La réponse à la question : « Quand l'envie disparaîtra-t-elle ? » est donc très simple : « Quand vous le déciderez. » Vous pouvez continuer à croire que la cigarette était votre amie et à vous demander si vous parviendrez un jour à l'oublier. Dans ce cas, vous serez malheureux, le désir persistera et vous serez confronté à une alternative : soit vous ressentirez un manque jusqu'à votre dernier jour, soit, ce qui est plus probable, vous vous remettrez à fumer et vous vous sentirez encore plus mal.

Mais vous pouvez aussi considérer la cigarette sous son vrai jour : celui d'une ennemie mortelle. Votre envie de fumer s'évanouira, et vous n'attendrez plus que quelque chose se produise. Chaque fois que vous penserez à la cigarette, vous vous exclamerez : « Quel bonheur d'être un non-fumeur ! »

Prenez votre temps

Je vous ai demandé d'aborder ce processus de manière décontractée, rationnelle, avec une grande ouverture d'esprit, car cela vous aidera à comprendre le mécanisme du piège et à affronter le Petit Monstre présent dans votre organisme. Dans les jours qui suivront votre dernière cigarette, le Petit Monstre va envoyer des messages à votre cerveau, que celui-ci traduira de la manière suivante : « Je veux une cigarette. » Mais à présent vous connaissez la vérité : au lieu de céder à cette injonction ou de vous crisper parce que vous ne pouvez pas fumer, vous allez faire une petite pause. Respirez profondément. Il n'y a aucune raison de paniquer. Vous ne ressentez aucune douleur. Au fond, cela n'a rien d'insupportable : c'est ce que les fumeurs éprouvent tous les jours de leur triste existence.

Reprogrammez votre cerveau

Autrefois, votre esprit traduisait les symptômes de l'état de manque transmis par le Petit Monstre de la manière suivante : « Je veux une cigarette. » Vous aviez alors toutes les raisons de croire que le tabac apaiserait cette sensation de vide et d'insécurité. Mais vous savez maintenant que, loin d'être une solution, la cigarette est la cause du problème. Par conséquent, relaxez-vous, considérez ces symptômes à leur juste valeur et souvenez-vous : « Les non-fumeurs ignorent ce problème. Ce sont les fumeurs qui en pâtissent, aussi longtemps qu'ils fument. Mais n'est-ce pas fantastique de savoir qu'il aura bientôt disparu pour toujours ? » Si vous réagissez de cette manière, les symptômes de l'état de manque se transformeront vite instants de bonheur.

Il vous arrivera peut-être d'oublier que vous avez arrêté de fumer, surtout pendant les premiers jours. Cela peut se produire à tout moment, par exemple le matin quand vous ouvrez les yeux. Vous pensez : « Je vais me lever et allumer une cigarette. Et puis vous vous rappelez que vous êtes désormais un non-fumeur.

Les sorties sont également propices à ce phénomène. Vous êtes en train de bavarder avec quelqu'un, et soudain un paquet de cigarettes apparaît sous votre nez. Vous risquez de tendre la main automatiquement, avant de vous ressaisir. De telles circonstances présentent un risque, surtout si votre ami vous prend de court en disant : « Je croyais que tu avais arrêté ? » Se retrouver planté là, le bras tendu, est très déstabilisant. Autour de vous, les fumeurs ricanent. À leurs yeux, c'est bien la preuve que vous n'êtes pas vraiment sevré et que avez désespérément envie d'une cigarette.

Les conséquences peuvent s'avérer désastreuses si vous réagissez mal : les doutes refont surface, vous commencez à remettre en cause votre décision, votre confiance s'effrite. Vous devez donc vous préparer à ces situations et conserver votre calme. Au lieu de penser : « Je ne peux pas fumer », dites-vous simplement : « C'est fantastique, je n'ai plus besoin de fumer. Je suis libre ! »

En réalité, les fumeurs vous envient, ils voudraient tous être à votre place, car VOUS VOUS ÊTES LIBÉRÉ DE CE CAUCHEMAR RÉPUGNANT.

L'association mentale de la cigarette à un café, à un verre, à la fin d'un repas, peut persister longtemps après la disparition des symptômes physiques ; elle sape les efforts des fumeurs qui recourent à la méthode fondée sur la volonté. Ceux-ci rassemblent toutes les informations possibles et imaginables contre le tabagisme, décident courageusement d'arrêter, tiennent le coup pendant des mois ou des années, et pourtant, dans certaines circonstances, une petite voix continue à leur murmurer à l'oreille : « Je veux une cigarette. » Tout cela parce qu'ils considèrent encore le tabac comme un plaisir ou un soutien.

Bien que vous ne soyez plus victime de cette illusion, vous devez tout de même vous prémunir contre les situations dangereuses. Le matin au réveil, le soir quand vous rentrez dans un logement vide, lorsque vous êtes en compagnie de fumeurs, réjouissez-vous d'être capable de profiter des bons moments et d'affronter les mauvais sans être obligé d'avaler des fumées toxiques. Si jamais vous oubliez que vous ne fumez plus, n'y voyez pas un signe alarmant, bien au contraire : c'est la preuve que vous êtes revenu à l'état d'esprit qui était le vôtre avant de devenir accro, à l'époque où le tabac ne dominait pas tout votre quotidien.

L'essentiel est de ne pas se laisser prendre au dépourvu. Avec un peu de préparation, vous serez protégé par une armure sans faille. Vous avez pris la bonne décision, et personne ne réussira à instiller le doute dans votre esprit. Au lieu d'entraîner une rechute, ces épreuves renforceront votre détermination et votre joie d'avoir conquis la LIBERTÉ.

Résumé

- Balayez le lavage de cerveau et les peurs qui vous maintiennent prisonnier.
- La cigarette n'est pas votre amie, mais votre ennemie mortelle.

- L'envie de fumer n'est pas d'ordre physique, mais psychologique.
- Soyez décontracté, rationnel, ouvert, et vous vous libérerez facilement.
- Anticipez les éléments déclencheurs, et vous conserverez facilement votre liberté.

CHAPITRE 16

LA PRISE DE CONTRÔLE

DANS CE CHAPITRE

• LIBÉREZ-VOUS • TOUS LES FUMEURS VEULENT ARRÊTER • LA TOUR INFERNALE • VOTRE BIEN-ÊTRE PHYSIQUE ET MENTAL • LA ROULETTE RUSSE • PRÉVOIR L'AVENIR

PRISON À VIE

Durant toute leur existence, les fumeurs ont parfaitement conscience des raisons impérieuses qui devraient les pousser à arrêter. Mais dans la plupart de cas, le plus grand bénéfice n'apparaît que rétrospectivement : arrêter de fumer, c'est s'affranchir d'un esclavage.

J'avais beau me mentir, je savais très bien que je ne contrôlais pas mon tabagisme. J'avais l'impression de maîtriser tous les autres aspects de mon quotidien, mais la cigarette me contrôlait. J'étais l'esclave de quelque chose de haïssable et de méprisable. Ma colère était telle que je désirais à tout prix arrêter. Cependant, pour comprendre toute l'étendue de mon impuissance, il a fallu que je reste sans fumer pendant plusieurs mois.

Nous consacrons une telle énergie à résister aux gens qui nous incitent à arrêter et à trouver des prétextes pour continuer à fumer que nous refusons de regarder en face les méfaits du tabac, à commencer par le plus terrible de tous : la réduction en esclavage.

La santé est la raison le plus souvent invoquée par les fumeurs désireux d'arrêter. Pourtant, nombreux sont ceux qui adoptent la politique de l'autruche et qui espèrent passer à travers les gouttes.

Ensuite viennent les préoccupations financières. Pour ma part, j'ai consacré plus de 100 000 euros au tabac. C'est la somme que dépense au cours de sa vie une personne qui fume vingt cigarettes par jour. La santé et l'argent ont joué un rôle, mais mon plus grand triomphe a été de m'affranchir de l'esclavage.

Quand on demande aux gens pourquoi ils fument, leurs réponses sont presque toujours défensives et négatives. Ils ne trouvent aucun argument positif, et tentent de s'excuser de ne pas avoir encore arrêté.

« Je peux quand même m'offrir un paquet de cigarettes. »

« Je n'ai encore noté aucun ennui de santé. »

« C'est mon seul vice. »

Comparez ces réponses à celles des personnes à qui on demande pourquoi elles jouent au football, vont au cinéma, fréquentent les musées ou écoutent de la musique. Lorsqu'une activité vous procure un authentique plaisir, vous cherchez à transmettre votre enthousiasme, et non pas à vous excuser de ne pas avoir encore arrêté !

Un journaliste a écrit dans les colonnes du *Times* : « La méthode d'Allen Carr retourne avec une logique implacable tous les mythes et les prétextes auxquels les fumeurs recourent pour justifier leur tabagisme. » C'est exact. Mais ce qui aide vraiment les fumeurs à se libérer, c'est de leur faire comprendre qu'ils n'ont pas besoin d'être les esclaves de leurs cigarettes : le tabac ne leur manquera pas, ils profiteront davantage de la vie, ils géreront mieux le stress, ils ne seront pas condamnés à affronter des épreuves épouvantables pour se libérer.

TOUS LES FUMEURS VOUDRAIENT ARRÊTER

Beaucoup de fumeurs et de non-fumeurs contestent cette affirmation. Dans ce cas, pourquoi les campagnes de marketing en faveur de substituts nicotiniques et de produits comme le Zyban et le Champix ont-elles rencontré un tel succès ? Si les fumeurs ne veulent pas arrêter, pourquoi se jettent-ils sur les patches, gommes à mâcher et autres pilules ? Pourquoi le sevrage tabagique est-il devenu une industrie qui pèse des milliards d'euros ? Et pourquoi mes centres ont-ils essaimé dans le monde entier grâce au bouche à oreille, sans la moindre publicité ?

L'explication est évidente : ouvertement ou en secret, tous les fumeurs voudraient arrêter. Ils attendaient une potion magique qui les libérerait : même si le Zyban et le Champix n'ont pas répondu à leurs espoirs, beaucoup étaient prêts à payer des centaines d'euros pour tenter le coup. Les sondages révèlent que plus de 70 % des fumeurs déclarent vouloir arrêter. Les 30 % restants refusent simplement de l'admettre. Après tout, il est moins difficile de répondre : « Je fume parce que c'est mon choix et je n'ai pas l'intention d'arrêter », plutôt que d'avouer : « Je suis un pitoyable toxicomane, je donnerais n'importe quoi pour arrêter, mais je n'ai pas assez de volonté. » Pourquoi les parents accros empêchent-ils leurs enfants de fumer ? Parce qu'ils voudraient n'avoir jamais commencé et que, s'ils avaient le choix, ils préféreraient ne pas fumer. Dans mon premier livre, *La Méthode simple pour en finir avec la cigarette*, je proposais aux fumeurs « invétérés » – ceux qui prétendent n'avoir aucune intention d'arrêter – de payer leurs cigarettes pour le restant de leurs jours, à condition qu'ils me versent la somme qu'ils y consacraient chaque année. Le bouquin s'est vendu à plus de 10 millions d'exemplaires, et personne n'a encore accepté mon offre, parce que personne n'est prêt à se condamner à fumer à perpétuité. Tous les fumeurs sans exception, ouvertement ou en secret, consciemment ou inconsciemment, rêvent de connaître le même sort que vous quand vous aurez achevé votre lecture : LA LIBERTÉ.

> *«* La Méthode simple pour en finir avec la cigarette, *d'Allen Carr : voilà le livre que vous devez vous acheter ou offrir à vos amis qui veulent arrêter. Ça a marché pour moi et pour une vingtaine de personnes que je connais. Sérieusement. »*
>
> *Jason Mraz, chanteur-compositeur*

Aujourd'hui, le tabac est considéré comme quelque chose d'asocial. Les comportements et les règles de savoir-vivre ont changé, tout comme les accessoires. Les briquets en or ont été remplacés par des jetables. Autrefois, on offrait aux jeunes gens un superbe briquet ou un étui à cigarettes pour leur majorité. Cela ne se fait plus. Les fumeurs réfléchissent à court terme désormais, parce qu'ils veulent tous arrêter.

TOUS LES FUMEURS PRÉFÉRERAIENT ÊTRE DES NON-FUMEURS

Bien que la société considère les fumeurs comme des gens qui manquent de volonté, les preuves démontrent le contraire. Pour continuer à fumer malgré des pressions de plus en plus fortes, il faut un caractère bien trempé. Les fumeurs sont des dominants qui refusent d'obéir aux autres, et qui n'apprécient pas non plus de subir l'emprise d'un objet haïssable et méprisable tel que la cigarette. Je ne vous répéterai jamais assez que c'est fantastique de briser les chaînes de l'esclavage, et de regarder les autres fumeurs en éprouvant non pas de l'envie, mais la compassion que suscitent d'ordinaire les toxicomanes. C'est formidable de préserver sa santé et d'économiser de l'argent ; c'est encore mieux de cesser de se mépriser, d'être fier de s'être libéré d'un maître haïssable.

LE FACTEUR SANTÉ

Lorsque nous abordons la question de la santé dans nos centres, certains fumeurs en déduisent : « Voici le traitement de choc qui commence. » Je vous assure que nous n'utilisons aucun traitement de choc, car cela ne marche pas.

Pendant que nous expliquons comment le tabac gêne la concentration, nous demandons parfois à l'assistance : « Quel est l'organe qui a le plus besoin d'être irrigué par le sang ? » Le sourire idiot qui se dessine alors sur le visage des hommes montre qu'ils font fausse route.

Néanmoins, ils n'ont pas complètement tort. Je n'ai pas l'intention d'exposer en détail les effets néfastes du tabac sur mes performances sexuelles ou sur celles des anciens fumeurs avec lesquels j'ai discuté de ce sujet. Disons simplement que j'attribuais mes défaillances au vieillissement. Erreur ! Je ne le savais pas encore en arrêtant, mais j'ai appris depuis que le tabagisme peut conduire à l'impuissance. Je peux aussi vous assurer qu'un homme en bonne santé et en forme a des activités sexuelles plus agréables, plus longues et plus fréquentes. La dégradation de la vie amoureuse peut sembler très secondaire par rapport aux autres risques encourus, mais je vous promets que la qualité de vie s'en ressent lorsqu'elle reprend une pente ascendante !

La tour infernale

Le fumeur est pris au piège dans un immeuble en feu. Il se trouve devant une alternative assez effrayante : soit il saute par la fenêtre, soit il reste à l'intérieur en espérant l'arrivée des secours. Il ne finit par bouger que lorsque la peur de périr brûlé ou étouffé l'emporte sur la peur de se jeter dans le vide.

De fait, le fumeur est coincé entre deux appréhensions : celle de continuer à fumer avec tout ce que cela implique – maladies, coût financier, esclavage, etc. –, et celle d'arrêter. De même que l'occupant de l'immeuble en feu ne saute qu'une fois toutes les autres possibilités épuisées, le fumeur remet sans cesse sa décision au lendemain, car il espère être secouru miraculeusement avant de contracter une maladie mortelle.

Mais le piège de la nicotine est beaucoup plus subtil que la tour infernale. La personne prisonnière de l'incendie ne peut pas oublier la menace évidente qui plane sur elle, alors que le risque encouru par le fumeur n'est pas aussi visible et immédiat. En outre, les fumeurs adoptent la politique de l'autruche : « Je passerai à travers les gouttes. » Ou bien : « J'arrêterai avant d'atteindre ce stade, je ne suis pas complètement stupide. » Comme il n'y a pas d'urgence, ils ont naturellement tendance à repousser la décision au lendemain. Hélas ! il est peu probable que vous passiez à travers les gouttes. Vous avez plus de 50 % de chances de mourir directement du tabagisme, à moins que vous n'arrêtiez.

Les non-fumeurs ont du mal à comprendre pourquoi les fumeurs prennent des risques aussi insensés pour le plaisir d'emplir leurs poumons de fumées toxiques. Et pourquoi certaines personnes continuent après avoir vu un être cher mourir du cancer dans des circonstances épouvantables et dégradantes. J'ai déjà mentionné le caractère bien trempé des fumeurs. C'est cette détermination, renforcée par l'illusion, qui les conduit à s'obstiner.

Les gens sont prêts à jouer toutes les semaines à la loterie une partie de leur salaire durement gagné, alors qu'ils n'ont qu'une chance sur 14 millions de remporter le gros lot. Mais quand on leur dit qu'ils ont plus d'une chance sur deux de succomber aux effets du tabac, ils espèrent en réchapper.

Et quand la tragédie survient, ils retournent l'argument : « Ça ne sert plus à rien d'arrêter de fumer maintenant. Il est trop tard ! »

Faute d'accepter de regarder la vérité en face, nous ne sommes pas conscients de la plupart des cigarettes que nous fumons. Nous pensons que c'est « juste une habitude ». Si chaque fois que nous sortons notre paquet nous pensions aux 100 000 euros gaspillés et au cancer du poumon qui nous guette, l'illusion de plaisir s'évanouirait vite.

Même quand nous chassons de notre esprit les conséquences terribles de notre addiction, nous sommes plus ou moins conscients de notre stupidité. Si nous devions regarder la vérité en face, notre tabagisme deviendrait insupportable.

Les cigarettes ou les jambes !

On comprend aisément pourquoi les fumeurs préfèrent détourner le regard des statistiques liées à l'espérance de vie, mais presque tout le monde est stupéfait lorsqu'une personne continue à fumer après avoir entendu un médecin lui déclarer : « Si vous n'arrêtez pas, il va falloir vous amputer des jambes. » Je ne cherche pas à créer un choc, je veux seulement vous montrer comment un fumeur peut en arriver à ce stade et continuer malgré tout à fumer. Vous êtes sans doute persuadé que si vous étiez confronté à une telle situation, vous arrêteriez. Mais ce n'est pas si sûr.

Aussi incroyable que cela puisse paraître, environ 50 % des fumeurs ignorent que le tabagisme peut conduire à l'amputation d'un ou de plusieurs membres. Je me souviens de m'être demandé autrefois comment on pouvait préférer être amputé plutôt que d'abandonner la cigarette. Quand Arthur Askey, l'ancienne vedette de music-hall, s'est retrouvé dans cette situation, une pensée bizarre m'a traversé l'esprit : « À son âge, les jambes sont-elles vraiment essentielles ? Alors qu'il ne pourrait pas se passer de cigarettes ! » Tels sont les effets de

> l'addiction sur le cerveau ! Par la suite, je me suis dit que les gens comme Arthur Askey étaient des cas limites. Mais je ne me suis jamais considéré comme l'un d'entre eux. Pourtant, le tabac était en train de m'assassiner, et je n'avais toujours pas arrêté.

Nous ne comprenons pas pourquoi nous fumons, et au début nous ne voyons aucune raison d'arrêter. Une fois que nous nous sommes rendu compte que le tabac nous tue, nous coûte une fortune et contrôle notre existence, nous commençons à nous sentir de plus en plus dépendants de ce qui nous apparaît comme un soutien.

Les ennuis de santé et les difficultés financières peuvent vous aider à arrêter provisoirement, mais si l'envie ne vous quitte pas, tôt ou tard vous retombez dans le piège.

Ensuite, les effets débilitants de l'addiction et du poison vous affaiblissent tellement, sur le plan physique et mental, que vous vous résignez à votre sort, même si vous savez désormais ce qui vous attend. Quelle est donc cette puissance démoniaque qui fausse l'esprit du fumeur, qui l'amène à s'enfoncer la tête dans le sable et à penser qu'il vaut mieux perdre des membres et même la vie plutôt que d'arrêter ?

C'EST L'ADDICTION !

L'addiction se nourrit de la peur de ne plus pouvoir profiter de la vie ou affronter les épreuves sans cigarettes. Les non-fumeurs ignorent cette appréhension puisque la nicotine, bien loin de la soulager, la produit et l'entretient. Je vous assure que c'est fantastique de ne plus éprouver aucune peur.

Une fois qu'il profite mieux de la vie et qu'il maîtrise plus efficacement son stress, l'ancien fumeur n'a plus besoin de détourner son regard des problèmes de santé. Car l'un des grands avantages d'abandonner la cigarette, c'est d'être libéré de ce souci constant.

Cancer du poumon, affections cardiaques, artériosclérose, angines, emphysème, thrombose, bronchite chronique, asthme : il est scandaleux que la société laisse des millions de fumeurs contracter ces terribles maladies et se condamner par là même à un décès douloureux et prématuré.

Cessez de répéter : « Cela ne m'arrivera pas », car c'est le meilleur moyen pour que cela vous arrive. Dites-vous plutôt : « Ce sera bientôt mon tour », afin de faire en sorte que vous en réchappiez.

Effets pervers

Il est aujourd'hui indéniable que le tabagisme provoque toutes sortes de maladies telles que le diabète, les tumeurs du cerveau ou le cancer du poumon. D'autres effets pervers sur ma santé, dont j'ai souffert pendant des années, ne me sont apparus que depuis que j'ai arrêté.

Ainsi, je ne m'étais pas rendu compte que je me dirigeais tout droit vers l'artériosclérose, parce que le tabac obstruait mes capillaires. Je croyais que mon teint grisâtre était naturel. Trentenaire, j'avais déjà des varices, et environ cinq ans avant d'arrêter de fumer, je me suis mis à éprouver des sensations bizarres dans les jambes au cours de la nuit. De temps en temps, des douleurs violentes dans la poitrine me faisaient redouter un cancer du poumon, mais j'ai compris par la suite qu'il s'agissait d'angines. Tous ces problèmes ont disparu comme par miracle lorsque j'ai abandonné la cigarette.

Dans mon enfance, mon sang coulait abondamment quand je me coupais. Adulte, je ne saignais presque plus : un infâme magma brun-rouge suintait de mes blessures. Cette couleur m'inquiétait : je savais que mon sang aurait dû être rouge vif, et je craignais d'avoir une maladie. Je devais apprendre beaucoup plus tard que le tabagisme provoque la coagulation du sang et que cette teinte brunâtre était due au manque d'oxygène.

A posteriori, cette conséquence directe de mon addiction me remplit d'horreur. Quand je pense à mon pauvre cœur qui s'efforçait de pomper ce magma dans des vaisseaux sanguins atrophiés, sans jamais rater un battement, je trouve que c'est un miracle de n'avoir pas subi de crise cardiaque. Le corps humain est une machine absolument fabuleuse !

Après quarante ans, des taches sont apparues sur mes mains. Je m'efforçais de les ignorer, en les attribuant à un vieillissement précoce du fait de mon mode de vie trépidant. Bien des années plus tard, un de mes patients m'a raconté que son frère avait des taches, et qu'elles avaient disparu quand il avait arrêté de fumer. J'ai regardé mes mains et constaté avec stupéfaction que ma peau était intacte.

Quand je me levais trop vite, je voyais des points briller devant mes yeux et j'avais le vertige, un peu comme si j'étais sur le point de m'évanouir. Je pensais alors que c'était normal, et que personne n'était à l'abri de ce genre d'incident. Là encore, le témoignage d'un patient m'a fait prendre conscience que je n'éprouvais plus jamais cette sensation.

On nous fait croire que la cigarette nous aide à profiter de l'existence, alors qu'elle a l'effet inverse. Quand j'étais jeune, cela me choquait d'entendre mon fumeur de père dire qu'il ne souhaitait pas vivre au-delà de cinquante ans.

Je ne savais pas que je connaîtrais à mon tour la même absence de joie de vivre.

Terrain miné

Fumer, c'est se promener dans un champ de mines, et ce jusqu'à votre dernier jour. Vous êtes peut-être fataliste ? Après tout, l'adage veut que la seule chose certaine dans la vie, c'est la mort, et que celle-ci peut survenir à tout moment. Si l'on passe son temps à y penser, on est certain d'être malheureux.

Les fumeurs appliquent la même logique à leur addiction : « Il faut bien mourir de quelque chose, alors à quoi bon se faire du souci pour rien ? » Le problème, c'est que vous êtes loin de mener une existence insouciante et d'ignorer les risques de vous infliger vous-même une mort douloureuse et prématurée. C'est d'ailleurs pour cette raison que vous avez décidé de réagir.

Le piège de la nicotine est d'une grande subtilité. À cause de lui, nous commettons l'erreur de croire que nous jouons un peu à la roulette russe : si nous échappons aux différentes maladies mortelles, nous en sortirons totalement indemnes. Je savais bien que le tabac était à l'origine de mes essoufflements, de mes quintes de toux et de mes poumons congestionnés, mais je ne considérais pas ces ennuis de santé comme de vraies pathologies, et à mes yeux je n'étais pas malade.

La mort qui plane

La détérioration physique et mentale est d'ordinaire très progressive, tout comme le vieillissement, de sorte que nous la remarquons à peine. Le visage que nous contemplons tous les matins dans le miroir est identique à celui de la veille. Le changement ne devient évident que quand nous tombons sur une vieille photo.

La nature a la bonté de rendre le processus du vieillissement presque imperceptible, mais ce faisant elle empêche les fumeurs d'observer le tort qu'ils se causent à eux-mêmes. Et ceux qui se rassurent en admirant leur bonne mine ignorent ce qui se passe sous leur épiderme !

Le tabac encrasse les veines et les artères, prive d'oxygène et d'autres nutriments toutes les cellules de votre organisme, et y introduit 4 000 produits chimiques et plus de 100 substances toxiques qui nuisent à son fonctionnement normal. Comme le sida, il détruit peu à peu votre système immunitaire. Les fumeurs séropositifs déclarent d'ailleurs la maladie deux fois plus vite que les non-fumeurs.

Ah, si seulement il était possible de donner aux fumeurs un avant-goût de ce qu'ils ressentiront au bout de seulement trois semaines de liberté ! Ils s'exclameraient : « C'est fou ! Est-ce que je vais vraiment connaître un tel bien-être ? » Ils éprouveraient un surplus de santé et d'énergie, mais aussi de courage, d'assurance et d'estime de soi.

Après avoir arrêté, j'ai fait de temps à autre des cauchemars dans lesquels j'avais recommencé à fumer. Certains y voient avec inquiétude le signe d'un désir inconscient de retomber dans le tabagisme. N'ayez pas peur : il s'agit de cauchemars, ce qui signifie que vous êtes heureux de ne plus fumer.

En vous libérant, vous laissez derrière vous l'univers sinistre, angoissant et déprimant de l'esclavage pour entrer de plain-pied dans un monde sain aux couleurs chatoyantes du bonheur.

Résumé

- Le plus grand bénéfice du sevrage, c'est la liberté.
- Tous les fumeurs voudraient arrêter.
- Ne vous mentez pas à vous-même.
- La peur de vivre sans cigarettes nous amène à continuer malgré les terribles conséquences.
- Vous n'avez qu'un seul corps : prenez-en soin.
- Pensez au bonheur qui vous attend quand vous serez un non-fumeur.

CHAPITRE 17

LE SEVRAGE

DANS CE CHAPITRE

• LE SEVRAGE NICOTINIQUE N'ENTRAÎNE AUCUNE DOULEUR PHYSIQUE • LA PANIQUE • TUEZ LE PETIT MONSTRE DE LA NICOTINE • LA VOLONTÉ... OU LA TORTURE À PERPÉTUITÉ • LE SENTIMENT DE LIBERTÉ • PRÉPAREZ-VOUS À VOTRE DERNIÈRE CIGARETTE

AUCUNE RAISON D'AVOIR PEUR

Les fumeurs parlent de la torture du sevrage. Mais est-ce vraiment douloureux ? Et où ont-ils mal ?

J'ai déjà expliqué que les symptômes physiques de l'état de manque sont pratiquement imperceptibles. J'ai également déclaré qu'un fumeur allume une cigarette dans le seul but de soulager cet état de manque. Si les symptômes sont infimes, pourquoi est-il si difficile d'arrêter avec les autres méthodes de sevrage ?

Posez-vous la question suivante : comment un fumeur peut-il dormir paisiblement pendant huit heures et se réveiller sans la moindre souffrance après une aussi longue abstinence ? Si les symptômes physiques de l'état de manque étaient si terribles, ils interrompraient son sommeil au milieu de la nuit. La plupart des fumeurs se lèvent avant d'aller allumer la première cigarette de la journée ; beaucoup prennent d'abord leur petit déjeuner ; certains attendent même d'être sur le chemin de leur travail. Non seulement ils n'en ressentent aucune douleur, mais ils ne sont même pas conscients d'une gêne quelconque.

Bien entendu, ils ont hâte d'avaler leur première bouffée. Si vous étiez assez intrépide pour leur arracher la cigarette des lèvres à cet instant précis, ils piqueraient sans doute une sacrée colère. Mais leur réaction serait d'ordre psychologique, et non pas physique : il s'agirait d'un mouvement de panique déclenché par la perspective d'être privé d'un plaisir et d'un soutien. Les symptômes s'évanouissent lorsque leur prochaine cigarette leur semble assurée. Si ces manifestations étaient d'ordre physique, elles seraient là en permanence, comme une rage de dent.

La panique commence avant même que vous soyez en panne de cigarettes. Combien de fois avez-vous calculé, tard dans la soirée : « Je vais encore rester ici quatre heures, et je n'ai plus qu'une heure de réserve ! » ? La panique s'intensifie pendant que vous fumez la dernière du paquet. La nicotine a beau affluer dans votre organisme, vous ressentez déjà l'état de manque.

« Quelqu'un m'a offert le livre d'Allen Carr. Je l'ai trouvé très utile. C'est un bouquin formidable. »

Lou Reed

La plupart des fumeurs commencent à paniquer quand il ne leur reste plus que quelques cigarettes. Moi, je m'affolais dès que je n'avais plus que quelques paquets d'avance ! Pour aller jouer au golf, il me fallait trois paquets. Comme je ne fumais jamais plus de 40 cigarettes durant un parcours, même lorsqu'il soufflait un vent épouvantable, à quoi me servait ce troisième paquet ? Un jour où je n'en avais que deux sur moi, l'un d'entre eux était tombé dans une mare et s'était imbibé d'eau. Ayant pour principe de toujours tirer les leçons de mes erreurs, j'avais décidé d'avoir un paquet de marge afin de parer à toutes les éventualités !

Celui qui ne connaît pas la peur

Quand nous faisons référence à cette « panique » au cours de nos séances, la plupart des gens hochent la tête d'un air entendu. Mais il arrive qu'un grand fumeur déclare : « Désolé, je ne vois pas ce que vous voulez dire. » Les autres le dévisagent alors avec étonnement.

Leur incrédulité augmente encore quand nous expliquons qu'un fumeur se rabattrait sur de la bouse de chameau séchée s'il n'avait rien d'autre, et que la même personne intervient de nouveau : « Je ne suis pas d'accord avec vous. Si ma marque préférée n'était plus disponible, je m'abstiendrais de fumer. »

Bien que nous sachions que tous les toxicomanes se mentent à eux-mêmes, en général les personnes qui fréquentent nos centres vident leur sac avec beaucoup d'honnêteté. Si cette personne prétendument fidèle à sa marque favorite disait la vérité, cela entrerait en contradiction avec notre description du piège de la nicotine.

En fait, si ces grands fumeurs ne paniquent jamais, c'est parce qu'ils prennent leurs précautions pour ne jamais tomber en panne.

Ils peuvent raconter ce qu'ils veulent sur leur fidélité à une marque, ils ne se sont jamais soumis à l'épreuve. Ils ne mentent pas et ne disent pas non plus la vérité. Quoi qu'ils en pensent, *tous* les fumeurs sans exception s'affolent quand on les prive de cigarettes.

L'ÉTAT DE MANQUE NICOTINIQUE N'ENTRAÎNE AUCUNE DOULEUR PHYSIQUE

Même si c'était le cas, nous sommes bien armés pour affronter la douleur. Plantez vos ongles dans votre cuisse et serrez de plus en plus fort : vous constaterez que vous êtes capable de supporter un niveau de souffrance assez élevé sans céder à la panique. Pour une raison bien simple : vous contrôlez la situation. Vous connaissez l'origine de la douleur et vous êtes en mesure d'y mettre fin quand vous le souhaitez.

Recommencez cet exercice en allant aussi loin que vous pouvez le supportez, et essayez d'imaginer que vous n'y êtes pour rien, que ce symptôme vient de se déclencher, et que vous ignorez combien de temps cela va durer. Maintenant, imaginez que la douleur gagne votre tête, vos oreilles ou votre poitrine. Vous seriez immédiatement en proie à la panique. Le problème ne provient donc pas de la souffrance, mais de la peur qu'elle provoque quand on ne sait pas quelles sont son origine et ses conséquences éventuelles.

LES FUMEURS SOUFFRENT EN PERMANENCE DE L'ÉTAT DE MANQUE

Une idée reçue voudrait que les fumeurs qui essayent d'arrêter doivent traverser une période épouvantable du fait du sevrage nicotinique. En réalité, ils ressentent constamment les symptômes de l'état de manque.

Observez-les, surtout lorsqu'ils ne peuvent pas fumer. Ils sont agités, portent leur main à la bouche, bougent leurs pieds. Ou bien, s'ils demeurent immobiles, ils grincent des dents. C'est ce que j'appelle le tic du fumeur. Il est déclenché par une sensation de vide et d'insécurité qui peut rapidement se muer en frustration, en irritation, en anxiété et en peur panique si on les empêche de fumer.

Mettez-vous ceci dans la tête une bonne fois pour toutes : vous ne ressentirez aucun manque en arrêtant de fumer, pourvu que vous ayez compris que la cigarette ne soulage pas, mais produit cette sensation. À l'inverse, si vous continuez à fumer, vous ressentirez ce vide et cette insécurité pour le restant de vos jours.

L'ÉCHEC DE LA VOLONTÉ

Les fumeurs qui essayent d'arrêter avec la méthode fondée sur la volonté, en revanche, traversent une période épouvantable. J'en ai fait l'expérience, et, comme je l'ai raconté plus haut, j'ai terminé plusieurs fois en larmes. Si le problème n'est pas d'ordre physique, où réside-t-il et comment peut-on le résoudre ? D'où vient la peur qui maintient les fumeurs prisonniers du piège, au point de préférer être amputé des jambes plutôt que d'abandonner la cigarette ?

L'ignorance et l'illusion sont les deux calamités jumelles qui transforment un petit signal émis par votre organisme en panique et en supplice psychologique.

Imaginez une démangeaison que vous n'avez pas le droit de gratter et qui vous harcèle en permanence. Vous seriez dans un triste état, et il vous faudrait une force de volonté titanesque pour vous retenir de vous gratter ne serait-ce qu'une seule fois. Pis encore, imaginez que vous soyez condamné à subir éternellement cette démangeaison, sauf si vous vous grattez.

Combien de temps pensez-vous résister à la tentation ? Et si vous réussissez à tenir une semaine, imaginez l'intensité de votre soulagement lorsque vous laisserez vos ongles râper votre peau ! Telle est la torture que les anciens fumeurs s'infligent avec la méthode fondée sur la volonté.

Alors que leur organisme a depuis longtemps surmonté les symptômes du sevrage nicotinique, ils continuent à éprouver une certaine frustration à la fin des repas, quand ils s'ennuient, quand ils sont stressés ou lorsqu'ils doivent se concentrer. Bien que ce soit une illusion, ils ressentent une démangeaison mentale qu'ils ne peuvent plus gratter en allumant une cigarette.

Vous devez simplement assimiler le fait que le plaisir et le soutien procurés par le tabac sont un pur produit de votre imagination, un vestige du lavage de cerveau. Pourquoi ai-je arrêté avec une telle facilité ? Parce que je me suis rendu compte que la sensation de vide et d'insécurité résultait de la dernière cigarette que j'avais fumée, et qu'il me suffisait de ne pas en allumer une nouvelle pour être libre à jamais.

Pourquoi n'ai-je pas subi la même souffrance que lors de mes précédentes tentatives ? Parce que mon supplice provenait de l'idée que j'étais privé de quelque chose. Une fois le plaisir et le soutien réduits à l'état d'illusions, il n'y a plus ni manque, ni douleur, ni torture, mais un SENTIMENT DE LIBERTÉ.

Le sevrage en toute confiance

Pendant les quelques jours qui suivront votre dernière cigarette, votre organisme sera en état de manque nicotinique. Comment réagir ? Bien que les symptômes physiques soient presque imperceptibles, il ne faut surtout pas les ignorer. Le jour où vous avez allumé votre première cigarette, vous avez créé un Petit Monstre à l'intérieur de votre corps, une sorte de ver solitaire qui se nourrit d'une seule substance : un poison violent nommé nicotine. En coupant l'alimentation en nicotine, vous accomplissez le geste qui va vous permettre de purger votre organisme de cette créature maléfique.

Dès l'instant où vous coupez son approvisionnement en nicotine, le Petit Monstre entame son agonie. Dans les affres du trépas, il essaiera de vous persuader de le nourrir. Imaginez-le sous les traits d'un vulgaire parasite, et réjouissez-vous de le voir mourir de faim !

Observez avec attention le Petit Monstre de la nicotine, et prenez garde à ne pas traduire son agonie par l'idée suivante : « Je veux une cigarette. » N'oubliez jamais sa véritable identité : une sensation de vide et d'insécurité *produite* par la dernière cigarette que vous avez fumée. Ce n'est pas une sensation agréable, mais vous éprouverez un formidable bien-être – et une joie sadique – en le regardant mourir à l'intérieur de votre organisme. Même si pendant quelques jours vous avez envie de fumer, ne vous inquiétez pas : c'est simplement le Petit Monstre qui tente de vous apitoyer sur son sort. À présent, vous contrôlez la situation. Il n'est plus en train de vous détruire : c'est vous qui le détruisez, et bientôt vous serez libre pour toujours.

QUAND SERAI-JE GUÉRI ?

Je parie que vous vous dites : « D'accord, mais ça va durer combien de temps ? » La nicotine est une drogue à effets rapides qui évacue l'organisme au bout de quelques heures. Néanmoins, ce qui nous intéresse ici, c'est de connaître le délai nécessaire pour que le corps d'un toxicomane soit débarrassé des traces ultimes de l'état de manque. Disons que les symptômes physiques seront perceptibles pendant au maximum cinq jours après votre dernière cigarette. Passé ce laps de temps, le Petit Monstre disparaît.

En général, les personnes qui recourent à la méthode fondée sur la volonté sont obsédées par l'interdiction de fumer dans les premiers temps. Et puis, au bout de trois semaines environ, elles se rendent compte soudain qu'elles n'y ont plus pensé depuis un moment. La cigarette s'est évanouie de leur esprit. C'est un passage très dangereux. L'idée selon laquelle la vie sans tabac sera un calvaire est remplacée par une croyance, celle qui voudrait que le temps finisse par régler le problème. Ces personnes ont le sentiment d'avoir franchi une étape importante et ont envie de fêter cela. Quel mal y a-t-il à s'octroyer une petite cigarette en guise de récompense ?

Si elles sont assez bêtes pour en allumer une, celle-ci a un goût bizarre et ne leur apporte ni soutien ni plaisir. Souvenez-vous : si le fumeur a l'impression d'obtenir un plaisir et un soutien, c'est uniquement parce que la cigarette qu'il vient d'allumer soulage en partie son état de manque, et que du coup il se décontracte.

En revanche, l'ancien fumeur n'est plus victime de cette illusion puisqu'il n'a plus aucun symptôme physique à soulager.

Quoi qu'il en soit, la personne qui vient de s'offrir « une petite cigarette » a réintroduit de la nicotine dans son corps. Quand le poison commence à s'évaporer, le doute s'instille dans son esprit. Une petite voix lui dit : « Quel goût affreux ! » Une autre voix lui murmure : « Peut-être, mais j'aimerais bien en fumer une autre. » La personne oppose d'ordinaire de la résistance à cette tentation. Comme elle n'a aucune intention de retomber accro, elle laisse s'écouler un délai raisonnable.

Lorsque la tentation refait surface, elle peut désormais se dire : « J'en ai fumé une la dernière fois, et je n'ai pas replongé, donc je peux bien m'en accorder une petite. » Cela vous rappelle quelque chose ? Eh oui, c'est la rechute assurée dans le même piège !

Heureusement, ces remarques ne s'appliquent qu'à la méthode fondée sur la volonté. Grâce à la Méthode simple d'Allen Carr, vous n'éprouverez aucun manque et vous parviendrez à une totale liberté.

Le moment de vérité

Vous pensez peut-être avoir tout compris, mais sans en être totalement sûr. D'après les témoignages que nous recevons, certains fumeurs assimilent mal plusieurs points importants et réussissent tout de même à arrêter sans trop de difficultés.

Ils nous déclarent parfois : « Ça s'est passé exactement comme vous l'aviez prédit. Les cinq premiers jours ont été durs, et ensuite une vraie partie de plaisir. » Nous n'avons jamais dit cela. Au contraire, nous insistons sur le fait qu'à partir de l'instant où vous éteignez votre dernière cigarette, le sevrage peut être aussi aisé qu'agréable.

Cependant, de nombreux facteurs sont susceptibles d'entrer en jeu. Ainsi, il est possible que les cinq jours qui suivent votre dernière cigarette soient très favorables pour de tout autres raisons. Vous en déduisez que tout marche comme sur des roulettes. Alors survient une de ces journées catastrophiques que connaissent aussi bien les non-fumeurs que les fumeurs. Bien que la série d'ennuis qui vous tombent dessus n'ait rien à voir avec le fait que vous avez arrêté de fumer, n'oubliez surtout pas que l'état de manque nicotinique ressemble beaucoup à la faim et au stress quotidien, et que ceux-ci peuvent déclencher une envie de fumer.

C'est l'une des raisons pour lesquelles les anciens fumeurs qui ont eu recours à la méthode fondée sur la volonté ne sont jamais certains d'être définitivement sevrés. La faim et le stress les amènent à se dire : « J'ai envie d'une cigarette ! » En réalité, le tabac ne leur procurerait même pas l'illusion d'un soulagement partiel, mais ils l'ignorent. Ils sont convaincus qu'une cigarette leur apporterait une aide précieuse. Du coup, leur stress authentique s'aggrave parce qu'ils croient être privés d'un soutien qui améliorerait leur situation.

Ils sont coincés : soit ils passent le reste de leur vie à se demander si le tabac les soulagerait, soit ils tentent l'expérience. Malheureusement, le seul moyen de vérifier consiste à allumer une cigarette. Celle-ci n'atténue nullement leur stress ; au contraire, elle l'augmente car ils s'en veulent d'avoir cédé à la tentation. Et l'histoire se termine par une rechute implacable dans le tabagisme.

VOUS FUMEREZ BIENTÔT VOTRE TOUTE DERNIÈRE CIGARETTE

Si cette idée vous fait encore paniquer, rappelez-vous que l'industrie du tabac exploite cette panique pour vous maintenir dans l'addiction. N'oubliez pas non plus que la nicotine n'apaise pas la peur, mais qu'elle la produit. Prenez le temps de vous calmer. Avez-vous la moindre raison de paniquer ? Arrêter de fumer ne peut vous faire aucun mal.

Vous allez répéter un geste que vous avez déjà accompli des milliers de fois : vous allez éteindre une cigarette. Celle-ci sera très, très spéciale, puisqu'elle sera tout simplement votre dernière cigarette.

Dans quelques jours, vous vous sentirez plus fort sur le plan physique et mental. Vous aurez davantage d'argent, d'énergie, de fierté et de confiance en vous. À quoi bon attendre encore trois semaines, cinq jours ou même cinq secondes avant de devenir un non-fumeur ?

Voilà pourquoi les personnes qui recourent à la méthode fondée sur la volonté éprouvent autant de difficultés. Elles attendent de savoir si elles tiendront le coup. Elles sont condamnées à attendre, à attendre toujours et encore, pour le restant de leur vie…

Vous allez devenir un non-fumeur à l'instant précis où vous éteindrez votre dernière cigarette. Souvenez-vous que tout est une affaire d'état d'esprit. Réjouissez-vous de sortir enfin d'un cauchemar répugnant ! Réjouissez-vous d'être libre ! Profitez dès le début de votre nouveau statut de non-fumeur !

Résumé

- Le choc du sevrage est d'ordre psychologique et non physique, et la Méthode simple d'Allen Carr en vient aisément à bout.
- Il est facile de surmonter les aspects physiques de l'état de manque, à condition de bien les comprendre.
- N'oubliez pas que la faim et le stress ressemblent à l'état de manque, et que vous ne les apaiserez pas avec une cigarette.
- Les fumeurs souffrent en permanence des symptômes de l'état de manque. Les non-fumeurs n'en souffrent jamais.
- Adoptez un état d'esprit positif : vous êtes sur le point d'accomplir quelque chose d'extraordinaire !
- Pensez au bonheur qui vous attend quand vous serez un non-fumeur !

CHAPITRE 18

LA DERNIÈRE CIGARETTE

DANS CE CHAPITRE

• CONSULTEZ LE TABLEAU RÉCAPITULATIF • CHOISISSEZ LE BON MOMENT • VOTRE DERNIÈRE CIGARETTE • L'AGONIE DU PETIT MONSTRE • LES INSTRUCTIONS À SUIVRE

LE BON MOMENT POUR ARRÊTER

Vous disposez à présent des informations nécessaires pour arrêter facilement, sans douleur et définitivement. Il ne vous reste donc plus qu'à choisir le moment adéquat.

Arrivé à ce point, vous devriez vous exclamer : « Fantastique ! Je n'ai plus aucune raison de continuer à fumer. »

Si vous n'êtes pas dans cet état d'esprit, cela signifie que vous avez raté un élément important. Relisez les résumés à la fin de chaque chapitre et consultez le tableau récapitulatif de la page suivante, qui vous aidera à faire le point.

Il s'agit d'un aide-mémoire et d'une véritable check-list que vous devez revoir ligne à ligne, en vous posant chaque fois les questions suivantes : « Ai-je bien compris cette idée ? Suis-je d'accord ? Est-ce que j'y crois ? Vais-je l'appliquer ? »

Si vous avez le moindre doute, relisez les chapitres correspondants.

1. RÉJOUISSEZ-VOUS !
Vous n'avez rien à perdre.
Chapitres 1, 2, 3, 4, 5, 7, 9, 11, 14,15.

2. CONSEILS
Ignorez-les s'ils contredisent la Méthode simple d'Allen Carr.
Chapitres 2, 3, 6, 7, 8, 10, 14.

3. LE BON MOMENT
Aujourd'hui !
Chapitres 14,15, 17, 18.

4. LIBERTÉ
Vous y accédez dès l'instant où vous éteignez votre dernière cigarette.
Chapitres 2, 4, 5, 14, 17.

5. LE PRIX DU POISON
Le tabagisme est ruineux et mortel (voir l'encadré ci-dessous).
Chapitres 4, 5, 8, 12, 16,18.

6. JAMAIS
Vous n'aurez plus jamais envie de fumer.
Chapitres 3, 4, 9, 15, 17.

7. PERSONNALITÉ ADDICTIVE
Cela n'existe pas.
Chapitre 8.

8. STYLE DE VIE
Pas besoin d'en changer : vous profiterez beaucoup plus des plaisirs de l'existence.
Chapitres 12, 18.

9. SUBSTITUTS
Ne prenez pas de substituts nicotiniques, ils ne servent à rien.
Chapitres 2, 11, 12.

10. NE REVENEZ PAS SUR VOTRE DÉCISION
Chapitres 14, 16, 17 18.

LE PRIX DU POISON

Pour calculer la somme qu'il gaspillera en tabac, un fumeur qui consomme environ un paquet par jour doit soustraire son âge de 60 et multiplier le nombre d'années obtenues par 2 000 euros. Si vous avez plus de 60 ans, ne vous inquiétez pas pour le prix : votre espérance de vie est telle que vous ne devriez pas avoir le temps de vous ruiner.

IL VOUS SUFFIT DE SUIVRE LES INSTRUCTIONS POUR RÉUSSIR

Si vous vous croyez différent des millions d'autres anciens fumeurs, ce qui a été mon cas jadis, alors vous êtes aussi stupide que je l'étais.

Vous avez déjà accompli tout le travail nécessaire pour parvenir à l'état d'esprit adéquat. Votre entraînement et votre préparation sont presque achevés.

Vous êtes armé pour accomplir ce que la plupart des anciens fumeurs considèrent comme la mission la plus importante et la plus cruciale de leur vie.

Si vous êtes tout excité et rempli d'impatience, un peu comme un chien qui tire sur sa laisse, c'est formidable. Néanmoins, vous devez encore vous concentrer sur les dernières pages qu'il vous reste à lire.

Vous fumerez bientôt votre dernière cigarette. Comment choisir le bon moment ?

Les mauvaises occasions

Deux types de circonstances peuvent encourager les gens à arrêter de fumer : les moments où leur santé est brusquement menacée et les dates officielles du type Jour de l'An ou Journée nationale sans tabac. À mes yeux, ces sont de mauvaises occasions car elles ne sont pas en prise directe avec votre tabagisme. Je n'aurais rien contre si elles aidaient certaines personnes à sauter le pas, mais en réalité elles sont plus nuisibles que bénéfiques.

Si l'on en croit ses organisateurs, la Journée nationale sans tabac permet à beaucoup de gens d'entamer un sevrage. La vérité, c'est que c'est le seul jour de l'année où un fumeur qui se respecte refusera d'arrêter. C'est même le jour où celui-ci augmentera ostensiblement sa consommation. Car les fumeurs n'aiment pas les sermons prononcés par des âmes charitables qui ne comprennent rien aux mécanismes de l'addiction.

Le Jour de l'An est de loin le moment idéal pour prendre de bonnes résolutions... et pour ne pas les tenir ! Nous fumons tellement durant les fêtes de fin d'année que nous nous réveillons avec un goût de cendrier dans la bouche. Du coup, nous avons les poumons tellement congestionnés à la Saint-Sylvestre que nous prenons avec enthousiasme les meilleures résolutions. Au bout de quelques jours d'abstinence, nous nous sentons beaucoup mieux, d'autant que nous avons récupéré de nos excès en tous genres. Mais le Petit Monstre réclame sa dose à cor et à cri, et nous ne comprenons pas que le tabac, bien loin de résoudre le problème, ne fera que le prolonger. Alors nous allumons une cigarette, puis une deuxième, puis une troisième…

Ces mauvaises occasions nous conduisent à arrêter de fumer sans vraiment le vouloir et à endurer le manque, puis l'échec, et à nous convaincre ainsi qu'il est très difficile de renoncer au tabac. Notre volonté en ressort épuisée, et il faut que notre désir d'arrêter l'emporte sur la peur pour que nous nous lancions dans une nouvelle tentative de sevrage.

Durant toute notre vie de fumeur, nous cherchons désespérons des prétextes pour repousser le jour fatidique à plus tard. Ces mauvaises occasions nous fournissent simplement une excuse pour remettre la grande décision au Jour de l'An ou à la Journée sans tabac – et à préparer ainsi un nouvel échec.

Et puis il y a les signaux d'alarme. Nous nous étions toujours promis d'arrêter sur-le-champ le jour où notre santé s'avérerait menacée. Mais l'ironie du sort veut que dans ces circonstances très stressantes la cigarette nous apparaisse plus que jamais comme un précieux soutien. Une ruse supplémentaire mise en œuvre par le piège du tabagisme :

PEU IMPORTE LE JOUR CHOISI,
CE N'EST JAMAIS LE BON !

Certains fumeurs essayent d'arrêter pendant leurs congés annuels en espérant que cela sera plus facile loin du stress professionnel. D'autres choisissent une période où très peu de sorties sont programmées, et où ils seront donc moins soumis à la tentation. L'ennui avec ces techniques de sevrage, c'est qu'elles laissent le doute intact : « Bon, jusqu'ici j'ai tenu le coup. Mais qu'en sera-t-il quand je retournerai au bureau ? Que se passera-t-il lors de la soirée du mois prochain ? »

Voilà pourquoi nous disons à nos patients de ne pas éviter les dîners, les soirées, les fêtes et tous les événements stressants. C'est le meilleur moyen de se prouver à eux-mêmes qu'ils sont heureux d'être libres, y compris dans les circonstances qu'ils redoutaient d'affronter.

Alors, comment choisir le meilleur moment ? C'est tout simple : quel conseil donneriez-vous à un être qui vous est cher ? Eh bien, ce conseil s'applique aussi à vous :

« S'IL VOUS PLAÎT, ARRÊTEZ MAINTENANT ! »

Votre préparation est terminée. Comme le boxeur qui s'apprête à disputer un championnat du monde, vous êtes au sommet de votre forme.

Puisque vous comprenez la nature du piège, vous n'avez plus aucune raison d'attendre. Si vous éprouvez la moindre hésitation, relisez ce livre.

Votre dernière cigarette

Si ces trois mots évoquent pour vous un peloton d'exécution, souvenez-vous de l'essentiel : ce n'est pas vous qui allez être fusillé, mais votre addiction à la nicotine.

Quand ils pensent à leur dernière cigarette, les fumeurs ont souvent tendance à paniquer. Ils ont l'impression de se retrouver face à un panneau « Interdit de fumer ». Ils donneraient n'importe quoi pour arrêter, mais en même temps ils ont du mal à accepter l'idée de ne plus jamais allumer une cigarette. Si vous ressentez la même chose, ne vous inquiétez pas : c'est tout à fait normal à ce stade du processus, et cela ne pose aucun problème.

Lorsqu'ils se présentent dans un de nos centres, la plupart des fumeurs éprouvent une panique que notre méthode transforme en confiance et en désir de liberté. Pour certains fumeurs, la perspective de se libérer est tout bonnement inimaginable. Au cours de la séance, la peur de l'échec fait place à la peur du succès, car ils comprennent peu à peu que la liberté est à leur portée. Ne vous faites pas de souci si vous partagez ce sentiment.

Vous n'aviez aucune raison de fumer avant de commencer, et vous n'en avez toujours aucune aujourd'hui. Les non-fumeurs et les anciens fumeurs, qui constituent l'immense majorité de la population mondiale, sont parfaitement heureux sans cigarettes. Où sont le plaisir et le soutien qu'elles seraient censées vous procurer ? Si vous avez lu et compris ce livre, votre conclusion sera évidente :

IL N'EXISTE AUCUNE RAISON DE FUMER

J'ai ressenti une joie indescriptible lorsque j'ai enfin compris que personne n'a besoin de fumer. C'est un soulagement fantastique. C'est comme si une ombre gigantesque se dissipait dans votre esprit. Vous cessez de vous mépriser et de vous inquiéter de l'argent gaspillé et des conséquences pour votre santé. Vous n'avez plus à constituer de réserves de cigarettes, à vérifier si vous avez le droit de fumer ou si vous dérangez vos voisins. Vous ne vous sentez plus faible, malheureux, sale, incomplet, coupable ou prisonnier.

- -

Vous allez bientôt fumer votre dernière cigarette et faire le vœu de ne plus jamais en allumer une. Mais auparavant une chose doit être parfaitement claire dans votre esprit : le tabac ne vous apporte ni plaisir ni soutien… et vous n'allez donc pas consentir le moindre sacrifice. Si vous avez du mal à accepter l'idée de ne plus jamais pouvoir fumer, regardez en face l'unique autre possibilité : passer le reste de vos jours dans la prison du tabagisme.

L'alternative est simple. Si vous avez toujours l'impression de devoir choisir entre deux maux, demandez-vous si vous regretteriez d'être définitivement à l'abri de la grippe, du sida ou de l'héroïne. Alors, pourquoi diable auriez-vous du mal à abandonner le fléau qui tue le plus de gens à la surface de la planète ? Je vous fais la promesse suivante :

ARRÊTER DE FUMER EST UN JEU D'ENFANT,
À CONDITION DE SUIVRE TOUTES LES INSTRUCTIONS.

Vous arrêtez parce que vous ne voulez plus être l'esclave de la nicotine. Ne vous répétez pas : « Je ne dois plus jamais fumer. » Dites-vous plutôt : « C'est formidable ! Je n'aurai plus besoin de me fourrer ces trucs répugnants dans la bouche ! JE SUIS LIBRE ! »

LE GRAND MOMENT EST ARRIVÉ

Pouvez-vous imaginer ce qu'a éprouvé Nelson Mandela en sortant de prison ? Vous allez bientôt ressentir la même euphorie.

D'ici peu, je vais vous demander d'allumer votre dernière cigarette. Ne vous inquiétez pas, c'est naturel d'être un peu nerveux.

La dernière cigarette

Dans nos centres, lorsque débute le rituel de la dernière cigarette, il arrive souvent que quelqu'un demande : « Je n'en ai pas vraiment envie, est-ce indispensable de l'allumer ? » C'est bon signe, puisque le but de l'exercice consiste à supprimer toute envie de fumer.

Cependant, bien que je déteste encourager qui que ce soit à fumer, ce rituel est important pour plusieurs raisons. Il s'agit d'un tournant dans votre vie, sans doute de la décision la plus cruciale que vous prendrez jamais. Vous allez vous guérir d'une terrible maladie et accomplir un geste extraordinaire, un geste dont rêvent tous les fumeurs, un geste qui va vous valoir le respect des fumeurs comme des non-fumeurs, un geste qui va vous remplir de fierté.

Vous allez vous échapper du piège le plus insidieux, le plus subtil, le plus ingénieux qu'on ait jamais élaboré. J'ai affirmé que n'importe qui pouvait arrêter facilement et rester un non-fumeur heureux pour le restant de ses jours, et c'est la stricte vérité, pourvu que vous compreniez la nature du piège. Cependant, vous ne devez pas sous-évaluer votre victoire, car il faut du courage pour ouvrir les yeux et s'engager dans une telle entreprise.

Par le vœu que vous allez prononcer, vous vous engagez à devenir un non-fumeur, et vous obtiendrez ce nouveau statut à l'instant précis où vous éteindrez votre dernière cigarette. Il est important de prendre conscience de ce tournant majeur dans votre existence et de pousser un cri triomphal en écrasant votre dernier mégot : « Ça y est ! Je suis un non-fumeur ! JE SUIS LIBRE ! »

En fumant votre ultime cigarette, concentrez-vous sur l'odeur nauséabonde, sur le goût répugnant, sur le poison que vous aspirez dans vos poumons.

Après la première bouffée, observez votre filtre : il est déjà décoloré. Inhalez la deuxième bouffée à travers un mouchoir en papier blanc. Regardez la tache qui s'est formée et songez à vos poumons.

Rappelez-vous que vous êtes en train d'accomplir quelque chose de fantastique pour vous et pour votre existence future. C'est une des rares occasions dans votre vie où vous n'avez rien à perdre et tout à gagner. Vous ne ressentirez aucun manque car vous ne consentez aucun sacrifice. Vous ne renoncez à rien du tout. Chassez les regrets et la morosité. Réjouissez-vous d'échapper enfin à un cauchemar sordide ! Vive la liberté ! Dès la première minute, saluez avec enthousiaste votre vie de non-fumeur qui commence !

JE VOUDRAIS MAINTENANT
QUE VOUS ALLUMIEZ VOTRE DERNIÈRE CIGARETTE

Pendant quelques jours, la nicotine s'évaporera de votre organisme, et vous ressentirez peut-être les affres de l'agonie du Petit Monstre. Les personnes qui recourent à la méthode fondée sur la volonté y réagissent de différentes manières : irritabilité, agitation, mauvaise humeur, insécurité, perte des repères, léthargie. Bien sûr, les fumeurs connaissent déjà tous ces symptômes et ils les interprètent d'ordinaire comme un besoin ou une envie de fumer. À l'inverse, avec la Méthode simple d'Allen Carr, vous prendrez plaisir à observer ces réactions.

Bien que ces symptômes soient bien réels et d'ordre physique, n'oubliez pas qu'ils sont provoqués par la cigarette que vous venez de fumer, et que la prochaine ne les soulagera nullement. Au bout de cinq jours, ils s'évanouissent à tout jamais. Vous ne ressentirez AUCUNE DOULEUR, et pourvu que vous ne commenciez pas à vous inquiéter ou à éprouver l'envie de fumer, cela ne vous posera AUCUN PROBLÈME.

C'est une très bonne chose que l'état de manque soit si léger. Cela rend le sevrage plus facile. Néanmoins, ces symptômes d'ordre physique peuvent créer une certaine confusion et conduire certains anciens fumeurs à en déduire qu'ils ont besoin ou envie de fumer. Si cela se produit, il est essentiel que vous cessiez aussitôt de traduire ce sentiment par « Je veux une cigarette », et que vous identifiiez sa vraie nature : la nicotine est en train de quitter votre organisme.

Imaginez que vous ayez un Petit Monstre à l'intérieur de votre cœur, qu'il parcoure le désert à la recherche d'un verre d'eau, et que vous ayez décidé de le laisser mourir de soif. Au lieu de penser : « Je veux une cigarette, mais je n'ai pas le droit », dites-vous plutôt : « Le Petit Monstre réclame sa dose. Les fumeurs subissent cela toute leur vie, alors que les non-fumeurs n'en ont pas la moindre idée. C'est fantastique, je suis un non-fumeur à présent, et d'ici peu je serai libre ! » Les symptômes de l'état de manque se métamorphosent ainsi en instants de bonheur.

Rappelez-vous aussi que ces désagréments ne sont pas dus au fait que vous ayez arrêté de fumer, mais au fait que vous avez commencé à fumer. Et n'oubliez jamais qu'une nouvelle cigarette, loin de vous soulager, vous condamnerait à souffrir pour le restant de vos jours.

Prenez plaisir à faire mourir de soif le Petit Monstre tapi à l'intérieur de votre organisme. Réjouissez-vous de son agonie.

N'ayez pas honte de votre férocité : après tout, il a essayé de vous assassiner, il vous a coûté une fortune, il vous a réduit en esclavage pendant des années.

Et ensuite ?

Vous devez vous sentir magnifiquement bien après avoir fumé votre ultime cigarette. Pour rester un non-fumeur heureux toute votre existence, il vous suffit de suivre ces instructions :

- Vous n'avez plus rien à attendre. Dès l'instant où vous avez éteint votre dernière cigarette, vous êtes devenu un non-fumeur. Vous avez coupé l'approvisionnement en nicotine et ouvert la porte de votre prison.
- Sachez qu'il y aura des jours avec et des jours sans. Cependant, comme vous serez bientôt plus fort sur le plan physique et psychologique, vous profiterez davantage des bons moments, et vous surmonterez plus facilement les épreuves.
- Soyez conscient du tournant crucial survenu dans votre vie. Quand un changement important se produit, même s'il est entièrement positif, notre esprit et notre organisme peuvent mettre un certain temps à s'adapter. Ne vous inquiétez donc pas si vous vous sentez bizarre ou désorienté pendant quelques jours.
- Vous avez arrêté de fumer, pas de vivre. Bien au contraire, vous pouvez maintenant profiter pleinement de l'existence. Ne changez rien à votre mode de vie, sauf si vous en avez vraiment envie.
- Ne cherchez pas à éviter les fumeurs ni les situations propices au tabagisme. Sortez, faites la fête et affrontez le stress dès que possible.
- N'enviez pas les fumeurs. Quand vous êtes en leur compagnie, rappelez-vous que tout va bien pour vous :

ce sont eux qui ont un problème. Et ils ont une bonne raison de vous jalouser, car ils rêveraient de posséder la même chose que vous : LA LIBERTÉ.

• Laissez tomber les substituts : vous n'en avez pas besoin, et de toute façon ils ne marchent pas.

• Ne doutez jamais de votre décision : vous savez qu'elle était justifiée. N'ayez jamais envie d'une autre cigarette, sinon vous vous mettrez dans une situation délicate : vous serez malheureux de ne pas fumer et encore plus déprimé si vous cédez.

• Prenez une bonne résolution d'entrée de jeu. Si jamais une tentation vous traverse l'esprit, du style « Juste une cigarette » ou « Juste une bouffée », réagissez aussitôt en vous exclamant : « Hourra ! Je suis un non-fumeur ! » L'idée s'évanouira rapidement, et votre cerveau acceptera le principe selon lequel un plant de tabac ne peut pas pousser sur une surface en acier trempé.

• Ne conservez pas de cigarettes sur vous ou à votre domicile. Ce serait ouvrir la porte au doute et préparer une rechute quasiment garantie. Conseilleriez-vous à un alcoolique repenti de porter une flasque de whisky dans la poche de son manteau ?

• Inutile d'essayer de chasser le tabac de votre esprit, cela ne marche pas. Si je vous dis : « Essayez de ne pas penser aux éléphants », à quoi pensez-vous immédiatement ? Il est impossible de contrôler son cerveau. Le simple fait d'essayer vous rendrait frustré et malheureux. En revanche, vous pouvez très bien penser à la cigarette sans être triste pour autant. Ce qui compte, c'est la manière dont vous y songez. Si vous vous répétez « Je n'ai pas le droit de fumer » ou bien « Quand serai-je débarrassé de cette envie ? », il est évident que vous vous sentirez malheureux. Dites-vous plutôt : « Fantastique ! Je suis un non-fumeur ! Hourra ! Je suis libre ! »

Résumé

- N’oubliez pas la check-list (voir p. 207).
- Le meilleur moment pour arrêter, c’est MAINTENANT.
- Ne négligez pas le rituel de la dernière cigarette.
- Lisez les instructions avec le plus grand soin, et SUIVEZ-LES À LA LETTRE.
- Ne vous inquiétez pas lors de l’agonie du Petit Monstre. Au contraire, prenez plaisir à le faire mourir de soif !
- FÉLICITATIONS, CAR VOUS ÊTES DÉSORMAIS UN NON-FUMEUR !

HOURRA !!

JE SUIS UN NON-FUMEUR !!

Les centres
La Méthode simple d'Allen Carr

La liste suivante indique les pays dans lesquels les centres Allen Carr sont opérationnels au moment de l'impression de ce livre.

Reportez-vous à l'adresse Internet www.allencarr.com pour obtenir la dernière édition de cette liste.

Le taux de réussite dans nos centres dépasse les 90 %, et nous vous remboursons si vous n'êtes pas satisfait au bout de trois mois.

Certains centres proposent des séances pour en finir avec l'alcool, les drogues et les problèmes de poids.

Pour plus d'informations, adressez-vous au centre le plus proche de chez vous.

La Méthode simple vous garantit que vous arrêterez de fumer facilement dans nos centres et, dans le cas contraire, vous serez remboursé.

REJOIGNEZ-NOUS !

Les centres Allen Carr se sont développés à travers le monde à une vitesse incroyable et leur succès est grandissant. Notre réseau couvre maintenant plus de 150 villes à travers plus de 45 pays. Cet incroyable développement s'est fait de façon tout à fait naturelle. Les anciens fumeurs, tout comme vous, étaient si impressionnés par la facilité avec laquelle ils ont arrêté que cela les a encouragés à nous contacter pour voir comment ils pouvaient faire profiter de *La Méthode simple* les gens de leur région.

Si vous avez vous aussi envie de nous rejoindre, contactez-nous pour plus d'informations pour devenir un franchisé de *La Méthode simple pour en finir avec la cigarette* ou *La Méthode simple pour en finir avec l'alcool* d'Allen Carr.

Contactez-nous par e-mail : **join-us@allencarr.com**, en précisant vos nom, adresse et région de prédilection.

SOUTENEZ-NOUS !

Ne nous envoyez pas d'argent !

Vous venez d'accomplir une chose merveilleuse. Chaque fois que nous apprenons que quelqu'un a réussi à s'échapper d'un navire en train de couler, nous ressentons une énorme satisfaction.

Nous aurons beaucoup de plaisir à entendre que vous vous êtes libéré de l'esclavage de la dépendance, alors n'hésitez pas à vous rendre sur la page Internet suivante pour nous raconter votre réussite et inspirer d'autres personnes à suivre vos pas et apprendre comment vous pouvez transmettre le message.

www.allencarr.com/fanzone

Vous pouvez aussi « liker » notre page Facebook :

www.facebook.com/AllenCarr

Ensemble, nous pouvons aider Allen Carr dans sa mission : guérir le monde de la dépendance.

FRANCE
Des séances sont organisées partout en France
Numéro vert gratuit : 0800 386 387
Tél. : 04 91 33 54 55
Thérapeutes : Erick Serre et son équipe
E-mail : info@allencarr.fr
Site Web : www.allencarr.com

CENTRE INTERNATIONAL ALLEN CARR
Park House, 14 Pepys Road,
Raynes Park, London SW20 8NH
Tél. : +44 (0)20 89 447 761
E-mail : mail@allencarr.com
Site Web : www.allencarr.com
Thérapeutes : John Dicey, Colleen Dwyer, Crispin Hay, Emma Hudson, Rob Fielding, Sam Kelser, Rob Groves, Debbie Brewer-West, Duncan, Bhaskaran-Brown, Gerry Williams (Alcool), Monique Douglas (Contrôle du poids)

Bureau de presse international
Contact : John Dicey
Tél. : +44 (0)7970 88 44 52
E-mail : media@allencarr.com

Informations et réservations au Royaume-Uni
Tél. : 0800 389 2115

ROYAUME-UNI

Birmingham
Tél. : 0800 389 2115
Thérapeutes : John Dicey, Colleen Dwyer, Crispin Hay, Emma Hudson,
Rob Fielding, Sam Kelser, Rob Groves, Debbie Brewer-West, Gerry
Williams (Alcool)
E-mail : mail@allencarr.com
Site Web : www.allencarr.com

Bournemouth
Tél. : 0800 389 2115
Thérapeutes : John Dicey, Colleen Dwyer, Crispin Hay, Emma Hudson,
Rob Fielding, Sam Kelser, Rob Groves, Debbie Brewer-West
E-mail : mail@allencarr.com
Site Web : www.allencarr.com

Brentwood
Tél. : 0800 389 2115
Thérapeutes : John Dicey, Colleen Dwyer, Crispin Hay, Emma Hudson,
Rob Fielding, Sam Kelser, Rob Groves, Debbie Brewer-West
E-mail : mail@allencarr.com
Site Web : www.allencarr.com

Brighton
Tél. : 0800 389 2115
Thérapeutes : John Dicey, Colleen Dwyer, Crispin Hay, Emma Hudson,
Rob Fielding, Sam Kelser, Rob Groves, Debbie Brewer-West
E-mail : mail@allencarr.com
Site Web : www.allencarr.com

Bristol
Tél. : 0800 389 2115
Thérapeutes : John Dicey, Colleen Dwyer,
Crispin Hay, Emma Hudson, Rob Fielding, Sam Kelser, Rob Groves, Debbie Brewer-West
E-mail : mail@allencarr.com
Site Web : www.allencarr.com

Cambridge
Tél. : 0800 389 2115
Thérapeutes : John Dicey, Colleen Dwyer,
Crispin Hay, Emma Hudson, Rob Fielding, Sam Kelser, Rob Groves, Debbie Brewer-West
E-mail : mail@allencarr.com
Site Web : www.allencarr.com

Coventry
Tél. : 0800 321 3007
Thérapeute : Rob Fielding
E-mail : info@easywaymidlands.co.uk
Site Web : www.allencarr.com

Cumbria
Tél. : 0800 077 6187
Thérapeute : Mark Keen
E-mail : mark@easywaymanchester.co.uk
Site Web : www.allencarr.com

Derby
Tél. : 0800 389 2115
Thérapeutes : John Dicey, Colleen Dwyer,
Crispin Hay, Emma Hudson, Rob Fielding, Sam Kelser, Rob Groves, Debbie Brewer-West
E-mail : mail@allencarr.com
Site Web : www.allencarr.com

Guernesey
Tél. : 0800 077 6187
Thérapeute : Mark Keen
E-mail : mark@easywaymanchester.co.uk
Site Web : www.allencarr.com

Île de Man
Tél. : 0800 077 6187
Thérapeute : Mark Keen
E-mail : mark@easywaymanchester.co.uk
Site Web : www.allencarr.com

Irlande du Nord/Belfast
Tél. : 0800 077 6187

Thérapeute : Mark Keen
E-mail : mark@easywaymanchester.co.uk
Site Web : www.allencarr.com

Jersey
Tél. : 0800 077 6187
Thérapeute : Mark Keen
E-mail : mark@easywaymanchester.co.uk
Site Web : www.allencarr.com

Kent
Tél. : 0800 389 2115
Thérapeutes : John Dicey, Colleen Dwyer,
Crispin Hay, Emma Hudson, Rob Fielding, Sam Kelser, Rob Groves, Debbie Brewer-West
E-mail : mail@allencarr.com
Site Web : www.allencarr.com

Lancashire
Tél. : 0800 077 6187
Thérapeute : Mark Keen
E-mail : mark@easywaymanchester.co.uk
Site Web : www.allencarr.com

Leeds
Tél. : 0800 077 6187
Thérapeute : Mark Keen
E-mail : mark@easywaymanchester.co.uk
Site Web : www.allencarr.com

Leicester
Tél. : 0800 321 3007
Thérapeute : Rob Fielding
E-mail : info@easywaymidlands.co.uk
Site Web : www.allencarr.com

Lincoln
Tél. : 0800 321 3007
Thérapeute : Rob Fielding
E-mail : info@easywaymidlands.co.uk
Site Web : www.allencarr.com

Liverpool
Tél. : 0800 077 6187
Thérapeute : Mark Keen
E-mail : mark@easywaymanchester.co.uk
Site Web : www.allencarr.com

Manchester
Tél. : 0800 077 6187
Thérapeute : Mark Keen
E-mail : mark@easywaymanchester.co.uk
Site Web : www.allencarr.com

Manchester – séances alcool
Tél. : 07936 712 942
Thérapeute : Mike Connolly
E-mail : info@stopdrinkingnorth.co.uk
Site Web : www.allencarr.com

Milton Keynes
Tél. : 0800 389 2115
Thérapeutes : John Dicey, Colleen Dwyer,
Crispin Hay, Emma Hudson, Rob Fielding, Sam Kelser, Rob Groves, Debbie Brewer-West
E-mail : mail@allencarr.com
Site Web : www.allencarr.com

Newcastle/North East
Tél. : 0800 077 6187
Thérapeute : Mark Keen
E-mail : mark@easywaymanchester.co.uk
Site Web : www.allencarr.com

Nottingham
Tél. : 0800 389 2115
Thérapeutes : John Dicey, Colleen Dwyer,
Crispin Hày, Emma Hudson, Rob Fielding, Sam Kelser, Rob Groves, Debbie Brewer-West
E-mail : mail@allencarr.com
Site Web : www.allencarr.com

Oxford
Tél. : 0800 389 2115
Thérapeutes : John Dicey, Colleen Dwyer,
Crispin Hay, Emma Hudson, Rob Fielding, Sam Kelser, Rob Groves, Debbie Brewer-West
E-mail : mail@allencarr.com
Site Web : www.allencarr.com

Reading
Tél. : 0800 389 2115
Thérapeutes : John Dicey, Colleen Dwyer,
Crispin Hay, Emma Hudson, Rob Fielding, Sam Kelser, Rob Groves, Debbie Brewer-West
E-mail : mail@allencarr.com
Site Web : www.allencarr.com

ÉCOSSE
Glasgow et Édimbourg
Tél. : +44 (0)131 449 7858
Thérapeutes : Paul Melvin and Jim McCreadie
E-mail : info@easywayscotland.co.uk
Site Web : www.allencarr.com

Southampton
Tél. : 0800 389 2115
Thérapeutes : John Dicey, Colleen Dwyer,
Crispin Hay, Emma Hudson, Rob Fielding, Sam Kelser, Rob Groves, Debbie Brewer-West
E-mail : mail@allencarr.com
Site Web : www.allencarr.com

Southport
Tél. : 0800 077 6187
Thérapeute : Mark Keen
E-mail : mark@easywaymanchester.co.uk
Site Web : www.allencarr.com

Staines/Heathrow
Tél. : 0800 389 2115
Thérapeutes : John Dicey, Colleen Dwyer,
Crispin Hay, Emma Hudson, Rob Fielding, Sam Kelser, Rob Groves, Debbie Brewer-West
E-mail : mail@allencarr.com
Site Web : www.allencarr.com

Stevenage
Tél. : 0800 389 2115
Thérapeutes : John Dicey, Colleen Dwyer,
Crispin Hay, Emma Hudson, Rob Fielding, Sam Kelser, Rob Groves,
Debbie Brewer-West
E-mail : mail@allencarr.com
Site Web : www.allencarr.com

Stoke
Tél. : 0800 389 2115
Thérapeutes : John Dicey, Colleen Dwyer,
Crispin Hay, Emma Hudson, Rob Fielding, Sam Kelser, Rob Groves, Debbie Brewer-West
E-mail : mail@allencarr.com
Site Web : www.allencarr.com

Surrey
Park House, 14 Pepys Road, Raynes
Park, London SW20 8NH
Tél. : +44 (0)20 8944 7761
Thérapeutes : John Dicey, Colleen Dwyer, Crispin Hay, Emma Hudson,
Rob Fielding, Sam Kelser, Rob Groves, Debbie Brewer-West, Duncan
Bhaskaran-Brown, Gerry Williams (Alcool), Monique Douglas (Poids)
E-mail : mail@allencarr.com
Site Web : www.allencarr.com

Watford
Tél. : 0800 389 2115
Thérapeutes : John Dicey, Colleen Dwyer,
Crispin Hay, Emma Hudson, Rob
Fielding, Sam Kelser, Rob Groves,
Debbie Brewer-West
E-mail : mail@allencarr.com
Site Web : www.allencarr.com

Worcester
Tél. : 0800 321 3007
Thérapeute : Rob Fielding
E-mail : info@easywaymidlands.co.uk
Site Web : www.allencarr.com

CENTRES DANS LE MONDE

AFRIQUE DU SUD
Séances dans l'ensemble de l'Afrique du Sud
National Booking Line :
0861 100 200
Siège : 15 Draper St, Claremont 7708, Cape Town
Tél. : +27 (0)21 851 5883
Mobile : 083 600 5555
Thérapeutes : Dr Charles Nel,
Malcolm Robinson and Team
E-mail : easyway@allencarr.co.za
Site Web : www.allencarr.com

ALLEMAGNE
Séances dans l'ensemble de l'Allemagne
Appel gratuit : 08000RAUCHEN
(0800 07282436)
Tél. : +49 (0) 8031 90190-0
Thérapeutes : Erich Kellermann et son équipe
E-mail : info@allen-carr.de
Site Web : www.allencarr.com

ARABIE SAOUDITE
Tél. : +00966501306090
Site Web : www.allencarr.com

AUSTRALIE
ACT, NSW, NT, QLD, VIC
Tél. : 1300 848 028
Thérapeute : Natalie Clays
E-mail : natalie@allencarr.com.au
Site Web : www.allencarr.com

Australie-Méridionale
Tél. : 1300 848 028
Thérapeute : Jaime Reed
E-mail : sa@allencarr.com.au
Site Web : www.allencarr.com

Australie-Occidentale
Tél. : 1300 848 028
Thérapeute : Natalie Clays
E-mail : wa@allencarr.com.au
Site Web : www.allencarr.com

AUTRICHE
Séances dans l'ensemble de l'Autriche
Appel gratuit : 0800RAUCHEN
(0800 7 282 436)
Tél. : +43 (0)3512 44 755
Thérapeutes : Erich Kellermann et son équipe
E-mail : info@allen-carr.at
Site Web : www.allencarr.com

BARHEÏN
Tél. : 00966501306090
Site Web : www.allencarr.com

BELGIQUE
Anvers
Tél. : +32 (0)3 281 6255
Fax : +32 (0)3 744 0608
Thérapeute : Dirk Nielandt
E-mail : info@allencarr.be
Site Web : www.allencarr.com

BRÉSIL
Thérapeute : Lilian Brunstein
E-mail : lilian@easywaysp.com.br
Site Web : www.allencarr.com

BULGARIE
Tél. : 0800 14 104/+359 899 88 99 07
Thérapeute : Rumyana Kostadinova
E-mail : rk@nepushaveche.com
Site Web : www.allencarr.com

CANADA
Séances dans l'ensemble du Canada
E-mail : mail@allencarr.com
Site Web : www.allencarr.com

CHILI
Tél. : +56 2 4 744 587
Thérapeute : Claudia Sarmiento
E-mail : contacto@allencarr.cl
Site Web : www.allencarr.com

CHYPRE
Consulter le site pour de plus amples précisions
E-mail : mail@allencarr.com
Site Web : www.allencarr.com

CORÉE DU SUD
Séoul
Tél. : +82 (0)70 4227 1862
Thérapeute : Yousung Cha
E-mail : master@allencarr.co.kr
Site Web : www.allencarr.com

DANEMARK
Séances dans l'ensemble du Danemark
Tél. : +45 70 267 711
Thérapeute : Mette Fønss
E-mail : mette@easyway.dk
Site Web : www.allencarr.com

ÉMIRATS ARABES UNIS
Dubaï et Abou Dabi
Tél. : +971 56 693 4000
Thérapeute : Sadek El-Assaad
E-mail : info@AllenCarrEasyWay.me
Site Web : www.allencarr.com

ESTONIE
Tél. : +372 733 0044
Thérapeute : Henry Jakobson
E-mail : info@allencarr.ee
Site Web : www.allencarr.com

ÉTATS-UNIS
Séances dans l'ensemble des États-Unis
Appel gratuit : 855 440 3777
E-mail : support@usa.allencarr.com
Site Web : www.allencarr.com

New York
Appel gratuit : 855 440 3777
Thérapeutes : Natalie Clays and Team
E-mail : support@usa.allencarr.com
Site Web : www.allencarr.com

Los Angeles
Appel gratuit : 855 440 3777
Thérapeutes : Natalie Clays and Team
E-mail : support@usa.allencarr.com
Site Web : www.allencarr.com

Milwaukee
(et Sud du Wisconsin)
Tél. : +1 262 770 1260
Thérapeute : Wayne Spaulding
E-mail : wayne@easywaywisconsin.com
Site Web : www.allencarr.com

FINLANDE
Tél. : +358 (0)45 3 544 099
Thérapeute : Janne Ström
E-mail : info@allencarr.fi
Site Web : www.allencarr.com

GRÈCE
Séances dans l'ensemble de la Grèce
Tél. : +30 210 5 224 087
Thérapeute : Panos Tzouras
E-mail : panos@allencarr.gr
Site Web : www.allencarr.com

GUATEMALA
Tél. : +502 2362 0000
Thérapeute : Michelle Binford
E-mail : bienvenid@dejedefumarfacil.com
Site Web : www.allencarr.com

HONG KONG
E-mail : info@easywayhongkong.com
Site Web : www.allencarr.com

HONGRIE
Séminaires à Budapest et dans 12 villes de la Hongrie
Tél. : 06 80 624 426 (gratuit) ou +36 20 580 9244
Thérapeute : Gábor Szász
E-mail : szasz.gabor@allencarr.hu
Site Web : www.allencarr.com

ÎLE MAURICE
Tél. : +230 5727 5103
Thérapeute : Heidi Hoareau
E-mail : info@allencarr.mu
Site Web : www.allencarr.com

INDE
Bangalore et Chennai
Tél. : +91 (0)80 4154 0624
Thérapeute : Suresh Shottam
E-mail : info@easywaytostopsmoking.co.in
Site Web : www.allencarr.com

IRAN
Téhéran et Mashhad
Consulter le site pour de plus amples précisions
Site Web : www.allencarr.com

IRLANDE
Dublin
Tél. : +353 (0)1 499 9010
Thérapeutes : Paul Melvin et Jim McCreadie
E-mail : info@allencarr.ie
Site Web : www.allencarr.com

ISRAËL
Séances dans l'ensemble d'Israël
Tél. : +972 (0)3 6 212 525
Thérapeutes : Ramy Romanovsky et Orit Rozen
E-mail : info@allencarr.co.il
Site Web : www.allencarr.com

ITALIE
Séances dans l'ensemble de l'Italie
Tél./Fax : +39 (0)2 7060 2438
Thérapeutes : Francesca Cesati et son équipe
E-mail : info@easywayitalia.com
Site Web : www.allencarr.com

JAPON
Séances dans l'ensemble du Japon
www.allencarr.com

LIBAN
Tél./Fax : +961 1 791 5565
Thérapeute : Sadek El-Assaad
E-mail : info@AllenCarrEasyWay.me
Site Web : www.allencarr.com

MEXIQUE
Séances dans l'ensemble du Mexique
Tél. : +52 55 2623 0631
Thérapeutes : Jorge Davo et son équipe
E-mail : info@allencarr-mexico.com
Site Web : www.allencarr.com

NORVÈGE
Consulter le site pour de plus amples informations
www.allencarr.com

NOUVELLE-ZÉLANDE
Île du Nord – Auckland
Tél. : +64 (0) 0800 848 028
Thérapeutes : Natalie Clays, Vickie Macrae
E-mail : natalie@allencarr.co.nz
Site Web : www.allencarr.com
North Island – Wellington and

Île du Sud – Christchurch
Tél. : +64 (0) 0800 848 028
Thérapeute : Natalie Clays
E-mail : natalie@allencarr.co.nz
Site Web : www.allencarr.com
South Island – Dunedin and

Invercargill
Tél. : +64 (0)27 4139 381
Thérapeute : Debbie Kinder
E-mail : easywaysouth@icloud.com
Site Web : www.allencarr.com

PAYS-BAS
Séances dans l'ensemble des Pays-Bas
Allen Carr's Easyway
« stoppen met roken »
Tél. : (+31)53 478 43 62/
(+31)900 786 77 37
E-mail : info@allencarr.nl
Site Web : www.allencarr.com

PÉROU
Lima
Tél. : +511 637 7310
Thérapeute : Luis Loranca
E-mail : lloranca@dejardefumaraltoque.com
Site Web : www.allencarr.com

POLOGNE
Séances dans l'ensemble de la Pologne
Tél. : +48 (0)22 621 36 11
Thérapeute : Anna Kabat
E-mail : info@allen-carr.pl
Site Web : www.allencarr.com

PORTUGAL
Porto
Tél. : +351 22 9 958 698
Thérapeute : Ria Slof
E-mail : info@comodeixardefumar.com
Site Web : www.allencarr.com

ROUMANIE
Tél. : +40 (0)7321 3 8383
Thérapeute : Cristina Nichita
E-mail : raspunsuri.sesiuni@gmail.com
Site Web : www.allencarr.com

RUSSIE
Tél. : +7 495 644 64 26
Appel gratuit : +7 (800) 250 6622
Thérapeute : Alexander Fomin
E-mail : info@allencarr.ru
Site Web : www.allencarr.com

Saint-Petersbourg
Consulter le site pour de plus amples informations
Site Web : www.allencarr.com

SERBIE
Belgrade
Tél. : +381 (0)11 308 8686
E-mail : office@allencarr.co.rs
Site Web : www.allencarr.com

SINGAPOUR
Tél. : +65 62 241 450
Thérapeute : Pam Oei
E-mail : pam@allencarr.com.sg
Site Web : www.allencarr.com

SLOVÉNIE
Tél. : 00386 (0)40 77 61 77
Thérapeute : Grega Sever
E-mail : easyway@easyway.si
Site Web : www.allencarr.com

SUÈDE
Tél. : +46 70 695 6850
Thérapeutes : Nina Ljungqvist et Renée Johansson
E-mail : info@easyway.se
Site Web : www.allencarr.com

SUISSE
Séances dans l'ensemble de la Suisse
Appel gratuit : 0800RAUCHEN (0800/728 2436)
Tél. : +41 (0)52 383 3773
Fax : +41 (0)52 3 833 774
Thérapeutes : Cyrill Argast et son équipe
Séances en Suisse romande et Suisse italienne :
Tél. : 0800 386 387
E-mail : info@allen-carr.ch
Site Web : www.allencarr.com

TURQUIE
Séances dans l'ensemble de la Turquie
Tél. : +90 212 358 5307
Thérapeute : Emre Üstünuçar
E-mail : info@allencarr.com.tr
Site Web : www.allencarr.com

NEW ZEALAND / NOUVELLE-ZÉLANDE

North Island - Auckland
Tel : +64 (0)9 817 5396
Thérapeute : Vickie Macrae
Email : vickie@easywaynz.co.nz
Website : www.allencarr.com

South Island - Christchurch
Tel : +64 (0)3 326 5464
Thérapeute : Laurence Cooke
Email : laurence@easywaysouthisland.co.nz
Website : www.allencarr.com

NORWAY / NORVÈGE

Oslo
Tel : +47 93 20 09 11
Thérapeute : René Adde
Email : post@easyway-norge.no
Website : www.allencarr.com

PERU / PÉROU

Lima
Tel : +511 637 7310
Thérapeute : Luis Loranca
Email : lloranca@dejardefumaraltoque.com
Website : www.allencarr.com

POLAND / POLOGNE

Sessions organisées dans tout le pays
Tel : +48 (0)22 621 36 11
Thérapeute : Anna Kabat
Email : info@allen-carr.pl
Website : www.allencarr.com

PORTUGAL

Oporto
Tel : +351 22 9958698
Thérapeute : Ria Slof
Email : info@comodeixardefumar.com
Website : www.allencarr.com

ROMANIA / ROUMANIE

Tel : +40 (0) 7321 3 8383
Thérapeute : Diana Vasiliu
Email : raspunsuri@allencarr.ro
Website : www.allencarr.com

RUSSIA / RUSSIE

Moscow
Tel : +7 495 644 64 26
Thérapeute : Fomin Alexander
Email : info@allencarr.ru
Website : www.allencarr.com

St. Petersburg - ouverture en 2012
Website : www.allencarr.com

SERBIA/ SERBIE

Belgrade
Tel : +381 (0)11 308 8686
Email : office@allencarr.co.rs / milos.rakovic@allencarr.co.rs
Website : www.allencarr.com

SINGAPORE / SINGAPOUR

Tel : +65 6329 9660
Thérapeute : Pam Oei
Email : pam@allencarr.com.sg
Website : www.allencarr.com

SLOVENIA / SLOVÉNIE

Ouverture en 2013
Website : www.allencarr.com

SOUTH AFRICA / AFRIQUE DU SUD

Sessions organisées dans tout le pays
National Booking Line : 0861 100 200
HEAD OFFICE : 15 Draper Square, Draper St, Claremont 7708, Cape Town
Tel : +27 (0)21 851 5883
Mobile : 083 600 5555
Thérapeutes : Dr. Charles Nel, Dudley Garner, Malcolm Robinson and Team
Email : easyway@allencarr.co.za
Website : www.allencarr.com

SPAIN / ESPAGNE

Madrid
Tel : +34 91 629 6030
Thérapeute : Lola Camacho
Email : info@dejardefumar.org
Website : www.allencarr.com

Marbella
Sessions organisées en anglais
Tel : +44 8456 187306
Thérapeute : Charles Holdsworth Hunt
Email : stopsmoking@easywaymarbella.com
Website : www.allencarr.com

SWEDEN / SUÈDE

Göteborge
Tel : +46 (0)8 240100
Email : info@allencarr.nu
Website : www.allencarr.com

Malmö
Tel : +46 (0) 40 30 24 00
Email : info@allencarr.nu
Website : www.allencarr.com

Stockholm
Tel : +46 (0) 735 000 123
Thérapeute : Christopher Elde
Email : kontact@allencarr.se
Website : www.allencarr.com

SWITZERLAND / SUISSE

Sessions organisées dans tout le pays
Numéro vert : 0800RAUCHEN (0800 / 728 2436)
Tel : +41 (0)52 383 3773
Fax : +41 (0)52 383 3774
Thérapeutes : Cyrill Argast and Team
Pour les sessions en Suisse Romande et Suisse Italienne :
Tel : 0800 386 387
Email : info@allen-carr.ch
Website : www.allencarr.com

TURKEY / TURQUIE

Sessions organisées dans tout le pays
Tel : +90 212 358 5307
Thérapeute : Emre Ustunucar
Email : info@allencarrturkiye.com
Website : www.allencarr.com

UKRAINE

Crimea, Simferopol
Tel : +38 095 781 8180
Thérapeute : Yuri Zhvakolyuk
Email : zhvakolyuk@gmail.com
Website : www.allencarr.com

Kiev
Tel : +38 044 353 2934
Thérapeute : Kirill Stekhin
Email : kirill@allencarr.kiev.ua
Website : www.allencarr.com

USA / ÉTATS-UNIS

Central information and bookings : numéro vert 1 866 666 4299
NEW YORK : (212) 330 9194
Email : info@theeasywaytostopsmoking.com
Website : www.allencarr.com
Des séminaires sont régulièrement organisés à New York, Los Angeles, Denver et Houston
Programmes disponibles dans tout les États-Unis
Mailing address : 1133 Broadway, Suite 706, New York. NY 10010
Thérapeutes : Damian O'Hara, Collene Curran

Imprimé en Espagne par Liberdúplex
en avril 2023
N° d'impression : 108272

POCKET - 92, avenue de France, 75013 Paris

S20650/11